D1368418

Personne n'est assez fou pour préférer la guerre à la paix.
Dans la paix les fils ensevelissent leurs pères.
Dans la guerre les pères ensevelissent leurs fils.
(Hérodote, Histoires, *Livre I, 87)*

HECTOR
LE BOUCLIER DE
TROIE

Collection dirigée par Marie-Thérèse Davidson

© 2005 Éditions NATHAN, SEJER, 25 avenue Pierre de Coubertin, 75013 Paris
Loi n° 49956 du 16 juillet 1949 sur les publications destinées à la jeunesse,
modifiée par la loi n° 2011-525 du 17 mai 2011.
ISBN 978-2-09-250440-6

HECTOR
LE BOUCLIER DE
TROIE

Hector HUGO
Illustrations : Élène USDIN
Dossier : Marie-Thérèse DAVIDSON

Nathan

*Les * dans le texte renvoient au lexique en fin d'ouvrage.*

CHAPITRE 1
LES CHEVAUX DE NÉMÉSIS

Même en hiver, la neige est rare autour de Troie. La mer est là pour adoucir les températures et Apollon* le dieu du soleil a toujours une réserve de lumière pour réchauffer les pentes qui mènent de la ville à la mer. Pourtant ce matin-là tout l'entour de la cité est d'une blancheur immaculée. Ce n'est pas un manteau épais : les arbres, les rochers, les talus sont restés semblables à eux-mêmes. C'est juste une légère couche blanche comme un voile presque translucide ou comme un linceul. Les premiers rayons du soleil font naître des éclats de lumière qui scintillent comme des signaux et Hector se demande ce qui se passe.

Hector le bouclier de Troie

Il est assis sur les remparts. Sans armes, sans casque. Tout cela est inutile. Les remparts de Troie sont suffisamment épais pour former une protection infranchissable. D'ailleurs, ils ont été construits par des dieux qui n'ont pas lésiné sur la pierre et le roc. En largeur, en hauteur, en solidité, les remparts de Troie dépassent tout ce qu'on peut imaginer. De là-haut, on a vue sur toute la plaine alentour, sur la mer et sur les premières îles.

Adossé à un montant de granit, Hector immobile laisse la lumière naissante l'envelopper. Il aime beaucoup ces instants du matin où les ténèbres reculent et s'effacent, où les fantômes de la nuit s'évanouissent, où la vie reprend. Les remparts à l'aube, c'est son domaine. Rares sont ceux qui prennent le temps de monter jusque-là. Les autres pensent que le lever du soleil, on le voit aussi bien d'en bas. Mais Hector préfère le regarder d'en haut.

La réverbération lui fait cligner les yeux. Cette pellicule blanche, c'est peu fréquent. Cela doit signifier quelque chose, mais quoi ? Les signes sont rarement clairs avant l'événement ; on a beau se creuser la tête, on est toujours surpris. Et quant à se fier aux interprétations des devins* et autres voyants, il y a belle lurette qu'Hector a compris qu'il n'y a pas grand-chose à comprendre. La seule qui l'émeuve parfois et l'effraie, c'est sa sœur Cassandre, mais personne n'écoute jamais Cassandre ; d'ailleurs, la plupart du temps, les malheurs qu'elle annonce sont si effrayants que nul ne peut accepter de les prendre au sérieux.

Justement, voici Cassandre qui s'avance sur le rempart, cela fait partie des rites du frère et de la sœur : Hector commence sa journée et Cassandre termine sa nuit. Elle a dû scruter encore pendant des heures les lumières du ciel et la course des nuages autour de la lune. Elle a sur le visage les affres de la nuit. Elle glisse plus qu'elle ne marche, comme si elle n'appartenait déjà plus complètement à la famille humaine. Son regard paraît toujours chercher quelque chose plus loin et quand elle consent enfin à répondre aux questions qu'on lui pose, c'est avec une tristesse désespérée et indulgente qui voile sa voix. Ceux qui l'aiment disent qu'elle a été aimée du plus beau des dieux. Les autres se gaussent. Mais personne n'oserait se moquer de Cassandre devant Hector. Car si Hector n'est pas querelleur, il est en revanche redoutable. Et Hector n'aime pas qu'on se moque des faibles ni qu'on s'attaque aux siens. Et puis dans les visions de Cassandre, il y a par instants comme des images volées aux dieux.

– Salut ma sœur, amante de la nuit. Le soleil se lève, Apollon se montre et toi tu t'enfuis ?

– Salut mon frère, aimé du jour. Tu sais bien qu'Apollon et moi nous ne vivons pas ensemble.

– Je sais, petite sœur. Je te taquine.

– Tu ne devrais pas plaisanter avec les dieux.

Hector le bouclier de Troie

– Les dieux en supportent bien d'autres.

– Ni plaisanter avec l'amour.

– Tu as raison, c'est déjà plus sérieux.

– Ni avec ta sœur.

– Allons, tu es d'humeur chagrine ce matin. Qu'est-ce qui se passe ? C'est cette neige qui te pèse ? Tu y vois quelque sombre présage ?

– Décidément, vous ne comprenez rien, jamais, même toi Hector. La neige blanche ne peut pas être un présage sombre.

– Alors, qu'y a-t-il ? Tu crois que je ne vois pas les ténèbres dans tes yeux ?

– Eh bien ! Justement sers-toi de tes yeux, regarde.

Cassandre tend le bras vers le nord, vers l'horizon. Hector s'est mis debout à côté d'elle et scrute l'étendue blanche :

– Je vois la neige, à perte de vue.

– Innocent. Ne regarde pas la neige. Regarde les chevaux de Némésis*.

– Cassandre, tu sais bien que Némésis n'a pas de chevaux. Elle ne sort pas. Elle a bien trop à faire avec le destin des hommes.

Dans la voix d'Hector, il y a un peu de tristesse. Voilà Cassandre encore une fois partie dans une de ces crises qui l'éloignent du monde réel. Elle va parler encore de choses qui n'existent que dans sa rêverie, de gens qu'on ne voit pas, de vivants qui sont morts et de dieux à l'affût.

– Regarde les chevaux qui dessinent sur la neige.

– Je ne vois que la neige et le vent.

– Ce sont les chevaux noirs du destin.

– Tu rêves, ce ne sont que des feuillages que le vent soulève.

– Regarde, mon frère, regarde bien. Ce sont des chevaux harnachés en guerre.

– Nul ne veut la guerre ici.

– Ils sont harnachés en guerre et c'est la mort qui les fouette.

Les deux mains de Cassandre tremblent et sa voix s'est faite rauque, faible, presque mourante. Elle fixe un point connu d'elle seule quelque part vers le nord. Hector a beau essayer de discerner quelque chose, il ne voit rien, que la neige qui commence déjà à s'estomper.

– Descendons. Tu as besoin de te reposer. Viens, donne-moi le bras.

– Ces chevaux apportent la mort. Il y a du sang dans leurs yeux et des flammes à leurs naseaux. Ils viennent pour toi Hector.

– Calme-toi, tu es fatiguée.

– Je ne suis pas fatiguée, je suis calme. Je vois. Hector, mon frère chéri, écoute-moi une fois dans ta vie, une seule fois. Si ces chevaux entrent dans la ville, c'est ta mort qu'ils y introduiront. Ne perds pas un instant, va chercher Andromaque et votre enfant. Emmène-les. Ailleurs. Où tu voudras, loin d'ici. Ne sois pas dans la

Hector le bouclier de Troie

ville quand les chevaux entreront, sinon la mort est sur toi et sur ta femme et sur ton fils.

– Cassandre, je ne crains aucun cheval ni aucun cavalier. Et je ne vois rien. N'aie pas peur, descendons.

– Même lui ne m'écoute pas. Le malheur est sur toi, Hector, sur nous tous, sur la ville.

– Si c'est vrai, c'est une raison de plus pour que je ne parte pas. Crois-tu que je vais fuir le danger et vous abandonner comme un lâche ? Je suis le fils aîné de Priam roi de cette cité et je suis le chef de tous les Troyens. Ils comptent sur moi. Ils ont confiance en moi. Priam notre père est trop vieux pour porter les armes maintenant. Sa sagesse est grande, mais il faut des bras plus jeunes pour manier le glaive et la lance quand Troie en a besoin. Que je parte ? Mais ne vois-tu pas qu'un dieu jaloux te tend un piège et t'obscurcit l'esprit ? Que deviendrait Troie si je fuyais ? Par tous les Enfers, je ne quitterai ma ville que mort.

– Tu l'as dit, Hector, tu l'as dit.

Les yeux de Cassandre sont embués de larmes. Une fois encore aucun de ses mots n'aura été entendu. La malédiction d'Apollon est trop forte. Voilà si longtemps qu'elle en est prisonnière. Le dieu pour la séduire lui avait promis « Tu sauras lire l'avenir. » Pour obtenir ce don, elle avait promis. Elle avait eu le don mais, au moment de tenir sa promesse, elle s'était dérobée. Apollon, furieux, l'avait alors menacée « Tu sauras lire l'avenir… mais personne ne te croira. » Elle était jeune et insouciante, elle avait ri. C'était un tort car, depuis ce temps, c'est toujours en vain que Cassandre parle.

Elle se blottit entre les bras de son frère. Sans rien dire, puisque les mots ne servent à rien. Il la serre très fort, pour la protéger de tout ce qui l'assaille, des images qui l'angoissent, du malheur qui n'en finit pas de la ronger de l'intérieur, de ses propres craintes qui l'enferment dans un monde inaccessible. Ils restent longtemps l'un contre l'autre, sans bouger, sans parler. Hector voudrait que sa chaleur la fasse renaître, la fasse revenir du monde des songes. Mais il n'a que sa raison à offrir et cela ne suffit pas. Si proches et si lointains, le frère et la sœur ne voient pas le temps passer. Cassandre s'est légèrement assoupie et Hector prend garde de ne pas bouger pour ne pas la réveiller. Quand enfin, elle rouvre les yeux, elle est apaisée. Le soleil est haut dans le ciel. La neige a disparu et la rumeur de la cité monte vers les remparts.

– Descendons au palais.

Les colonnes de la demeure fortifiée qui abrite Priam, le vieux roi de Troie, et Hécube son épouse fidèle, la mère de ses nombreux enfants, sont trapues et assez rapprochées pour former presque une enceinte. C'est Hécube qui l'a voulu ainsi, comme s'il fallait un dernier rempart à l'intérieur même de la cité, pour protéger ses fils et ses filles.

Hector le bouclier de Troie

Hector et Cassandre pénètrent dans la cour intérieure. Priam est assis sur un fauteuil de bois doré, Hécube est debout à côté de lui. Hector cherche des yeux Andromaque mais celle-ci doit être encore à s'affairer auprès de leur enfant dans une des pièces intérieures. Cassandre embrasse Hélénos, son frère jumeau, celui qui l'a aidée à développer son art de la divination. Hécube contemple avec amour ses enfants rassemblés : Troïlos, si beau qu'on le dit fils du soleil et que des dieux sont amoureux de lui, Polyxène aux yeux si tendres qu'elle frappe le cœur de tous les hommes, Créüse qui a épousé le vaillant Énée, Laodicée qui a été aimée de Télèphe, d'Hélicaon et même d'Acamas, fils de Thésée, le plus malheureux de tous les héros*. Pammon, Politès et Antiphos entrent en se querellant bruyamment comme d'habitude pour savoir qui serait le mieux à même de soutenir le combat contre Hector. Hipponoos, rêveur, est absorbé dans la confection de quelque poème léger. Hécube les couve du regard pour les protéger encore et encore, aujourd'hui et demain. Eux, ils ont l'insouciance de la jeunesse et sont sûrs de protéger leur mère. Mais elle, elle a des cauchemars de flammes et de brandons[1].

Hécube plonge la main dans la vasque d'eau lustrale[2]

1. *Torche ou débris enflammé.*
2. *Eau destinée à la purification.*

pour en arroser les pieds de tous les présents, mais à ce moment Déiphobos, le frère préféré d'Hector, entre en courant :

– Pâris vient d'arriver. Son char vient de passer la porte nord. Il est dans la cité.

Hécube a pâli :

– Pâris vient d'arriver ? Pâris mon fils ?

– Oui mère. J'ai bien reconnu son allure et ses chevaux. Il sera au palais dans peu de temps.

Hécube répète d'une voix défaillante :

– Pâris est dans la cité…

Cassandre, à côté d'Hector, a pâli. Elle peut seulement murmurer « les chevaux… les chevaux de Némésis… » et, tout d'un bloc, s'écroule évanouie dans les bras de son frère.

CHAPITRE 2
L'AVEU D'HÉCUBE

Pendant que les servantes raniment Cassandre, Priam, d'un geste plein de noblesse, a fait taire tout le monde. Derrière les colonnes de pierre, on entend les pas de Pâris qui frappent le sol lentement et résonnent comme une musique de guerre. Pâris entre, la tête haute, ses longs cheveux bouclés tombant sur les épaules. Il a sur le dos la peau de léopard qui le fait reconnaître de loin. Du regard, il affronte l'assemblée. Arrivé devant Priam, il s'agenouille en baissant la tête et met ses mains dans celles de son père :

– Père, me voici revenu. Que les dieux qui sont avec moi protègent aussi ta maison et ta ville !

Hector le bouclier de Troie

– Sois le bienvenu, mon fils, relève-toi. Nous allons offrir aux dieux le fumet du sacrifice* de deux bœufs gras et puissants en l'honneur de ta présence. Mais, qui est celle-ci qui ne s'est pas nommée ?

Au fond de la salle, légèrement dans l'ombre, se tient une femme arrivée avec Pâris. Priam reprend :

– Avance donc, femme, que ton visage ne reste pas dissimulé dans l'ombre, et dis-nous ton nom.

La femme a fait quelques pas en avant et, dans la lumière, chacun peut constater qu'elle porte sur les joues et le front la beauté des Immortelles. Elle n'a pas besoin de se nommer.

– Hélène ! C'est Hélène ! La fille de Zeus* très puissant, la reine de Sparte, la sœur de Pollux, très vaillant à la lutte et à la boxe.

Personne n'ignore comment Zeus, le dieu des dieux, s'est autrefois changé en cygne pour pouvoir approcher la belle Léda et a ainsi engendré Hélène et Pollux dont l'attachement à son frère Castor est connu de tous. Mais aucun des Troyens jusqu'ici n'avait pu vérifier combien la réputation de beauté d'Hélène est fondée. Elle a les yeux oblongs des Achéens[1] et les bras blancs, couleur de l'ivoire précieux. Mais surtout il se dégage d'elle une sensation de fragilité souple qui a fait, dans le passé, se précipiter tant de prétendants à ses pieds, depuis Thésée

---

1. *Autre nom des Grecs au temps d'Homère.*

qui l'avait tout simplement enlevée jusqu'à Ulysse, le rusé, en passant par Ajax, le plus vaillant de tous les Grecs.

Priam a entendu le murmure autour de lui. Le vieux roi est lui aussi sensible à la beauté de la jeune femme :

– Es-tu vraiment Hélène de Sparte, la fille de Léda, la femme de Ménélas ?

– Roi Priam, je suis Hélène, fille de Léda ou fille du destin, je ne sais pas très bien. Je ne suis plus la femme de Ménélas, je suis la compagne du plus beau des Troyens, je suis la compagne de ton fils.

Disant cela, Hélène a pris la main de Pâris qui ajoute :

– Aphrodite*, la déesse de l'amour que j'avais trouvée la plus belle entre toutes les déesses, plus belle qu'Athéna* la guerrière, plus belle que Héra* la femme de Zeus, m'a promis la plus belle femme de la terre. Eh bien, c'est fait. Je ne l'ai pas enlevée. Elle m'a suivi. C'était écrit. Maintenant elle est à moi.

Dans le palais, ce n'est plus un murmure, c'est un grondement. Et Hector s'avance :

– Tu as perdu l'esprit, Pâris ! Qu'est-ce que c'est que cette histoire ? Tu veux nous mettre en guerre avec tous les princes grecs ? C'est ta dernière invention, fou de femmes, lanceur d'œillades ?

– Il n'y a pas d'œillade. Ce n'est pas une passade, ni une aventure pour rire. C'est la parole d'Aphrodite. J'ai vu Hélène, elle m'a vu. Plus rien d'autre n'existe et le monde commence avec nous, aujourd'hui.

Hector le bouclier de Troie

– Tu veux dire que le monde finit aujourd'hui. Tu n'imagines pas que Ménélas va t'abandonner Hélène ? Tu sais très bien qu'Agamemnon son frère va se mettre de la partie et que tous les autres Grecs, fous de combat, ne vont pas être de reste, Achille et ses Myrmidons[1], Ulysse, Nestor, Diomède, Ajax et Philoctète à qui Héraclès a donné ses armes avant de mourir, ils vont tous se précipiter. Pour le combat, pour le carnage, pour la curée. Tu veux la guerre, c'est cela ?

– Je ne veux pas la guerre, je veux l'amour. L'amour nous a choisis, elle et moi. Qu'est-ce que j'y peux ? L'amour, peux-tu comprendre cela, Hector, monsieur le parfait ? Oh ! Je sais, ta parole est droite et tes reproches ne sont jamais injustes. Tu vois clair et tu es raisonnable. Mais moi, j'aime. Je suis fou de passion, si tu veux le savoir. Que m'importent à moi la guerre et les combats si Hélène me suit ? Je me battrai s'il faut se battre, quelle importance… mais elle ne me quittera pas. Et s'il faut mettre le feu à cette ville pour que je la garde, je mettrai le feu. Tu ne sais pas ce que c'est que la passion, Hector. Si j'avais une femme aussi belle que ton Andromaque, je conquerrais dix royaumes pour les lui offrir, j'égorgerais cent esclaves en hommage à sa grâce et je ferais un bûcher funéraire de mille bœufs. Tu ne feras jamais cela toi. Trop sérieux, trop honnête, trop

---

1. *Peuple de Thessalie, au nord de la Grèce.*

loyal. Irréprochable, va ! Crois-tu que ton honnêteté protégera vraiment ta femme et ton fils si la guerre doit venir ? Crois-tu que cela sert à quelque chose d'être fraternel ? Est-ce que tu ne sais pas que les dieux eux-mêmes ne cessent de se quereller, de se tromper, de se voler, de s'escroquer, de se suborner, de se violenter quand ils le peuvent ? Tu veux donner des leçons aux dieux ? Prends garde Hector, ton orgueil te perdra.

– Pour l'instant c'est ton égoïsme qui va nous perdre. Tu sais que quand Tyndare a marié Hélène, il a fait jurer à tous les prétendants de prêter main-forte si besoin était à celui qui serait choisi et que Mélénas peut compter sur cet engagement. Aucun chef grec ne va manquer à sa parole. Si Hélène reste ici, c'est la guerre. La guerre pour nous tous.

– As-tu peur de la guerre ?

– Je n'ai pas peur. Ou plutôt, je n'ai pas peur pour moi. Mais, c'est vrai, j'ai peur. J'ai peur pour Andromaque, j'ai peur pour Astyanax, notre enfant, j'ai peur pour les jeunes hommes dont les entrailles vont se répandre dans la poussière au pied des murailles. J'ai peur pour les femmes qu'on violera avant de les éventrer. J'ai peur pour les enfants qu'on jettera du haut des tours, pour rire. J'ai peur pour les vieillards qui devront enterrer leurs enfants. J'ai peur pour les épouses qui seront veuves avant d'être mères. J'ai peur pour les victimes qui vont souffrir et périr. J'ai peur pour les bourreaux qui se déshonoreront. J'ai peur pour nous tous. Oh ! Ça ne m'empêchera pas de me battre si cela doit arriver, mais j'ai peur. Je ne crains pas de le dire et tu devrais bien te soucier toi aussi d'avoir peur plutôt que de fanfaronner. Qui te donne le droit d'attirer le malheur sur cette cité ?

– Qui te donne le droit de me priver de mon bonheur ?

– Ton bonheur passe-t-il par la mort et le carnage ?

– Mon bonheur passe par où il veut, par où il peut, par là où le destin le guide. Pourvu qu'Hélène tienne ma main, le reste ne compte pas.

– Renvoie Hélène chez elle. Donne la paix aux Troyens, ils te feront roi.

– Je ne veux pas être roi. D'autant que tu feras cela beaucoup mieux que moi. Je ne veux pas être roi, je veux être aimé.

Dans les yeux de Cassandre, Hector lit qu'il a raison, qu'il faut qu'Hélène retourne à Sparte, que c'est le seul moyen d'éviter la guerre. Alors il fait ce que personne n'a encore jamais vu faire à Hector : il s'agenouille devant son frère plus jeune, lui le héros, le chef des Troyens, le plus vaillant guerrier de la cité, il s'abaisse devant Pâris, il prend dans sa main le bas de sa tunique et de sa voix la plus douce il implore :

– Pâris, je te conjure de laisser Hélène repartir chez elle.

Pâris hésite un instant avant de répondre. Il tousse un peu pour s'éclaircir la voix :

– Soit. Je ne la retiens pas de force. Si elle veut partir, elle est libre.

Hector se relève, plein d'espoir, et se tourne vers Hélène :

– Femme, je vais te raccompagner chez toi.

– Hector, tu ne sais pas ce que tu dis. Celui-ci a bravé les flots pour venir me trouver. C'est moi qui l'ai supplié de m'emmener. La déesse de l'amour le veut ainsi. Je reste avec lui, ici. Et si, vivante, je te gêne trop, tu n'as qu'à me tuer. Car moi, je ne bougerai pas. C'est cela, tue-moi, tu diras que je me suis suicidée. Tu offriras un sacrifice expiatoire et tout sera dit. Je préfère mourir que le quitter. Alors tire ton épée de bronze comme cela te démange et finissons-en.

– Tu as raison. Finissons-en.

Hector tire son épée du fourreau.

Pâris aussitôt d'un geste du bras place Hélène derrière lui et dégaine à son tour. Mais avant que les deux glaives aient eu le temps de se heurter, la voix de Hécube couvre le tumulte.

– Êtes-vous fous de vouloir vous massacrer entre vous ? Dois-je avoir la douleur de voir un de mes fils en tuer un autre ? Voulez-vous en rajouter sur la cruauté des dieux ? Ne voyez-vous pas que ces deux-là sont les instruments du destin, les outils de Némésis ? Cessez de les accabler.

Hector le bouclier de Troie

Les armes se baissent lentement. Hector s'adresse à Hécube :

– Mère, on n'est l'instrument du destin que si on l'accepte, que si on se soumet.

– Enfant ! Le destin est plus fort que nous. Il n'y a pas de choix. Il n'y a que la soumission.

– Jamais ! gronde Hector. Que le destin montre son mufle s'il l'ose et je saurai bien lui crever les yeux !

– Illusion… Tu n'auras encore fait que ce qu'il t'avait tracé comme route.

– Nous verrons bien. Aujourd'hui, Pâris n'est l'instrument de je ne sais quel destin que s'il reste dans la cité avec Hélène. S'il reste, c'est évidemment le moyen sûr de réaliser la guerre, et le feu, et la destruction de Troie. Mais il a le choix. Le destin c'est lui qui le choisit, c'est la cité ou l'amour. Si Pâris veut rester parmi nous, il doit rendre Hélène aux Grecs. S'il ne veut pas se séparer d'Hélène, alors il doit se séparer de la cité. Je leur donnerai mes meilleurs chevaux. Je leur fournirai une escorte. Ils s'établiront où ils le souhaitent.

– Tu les condamnes à mort. Seules les murailles de Troie les protègent maintenant. S'ils sont chassés, combien de temps crois-tu qu'il faudra pour qu'ils tombent dans les mains de Ménélas et d'Agamemnon ? Tu connais la cruauté des Atrides[1]. Leurs vies sont dans tes mains.

---

1. *Ainsi nommés parce qu'ils sont fils d'Atrée.*

– La vie des Troyens est dans leurs mains. Je ne sacrifierai pas ma cité et tout son peuple à la romance de ces deux-là.

– Même si parmi ces deux-là comme tu dis, il y a ton frère ?

– Dans la cité aussi, il y a mes frères et mes sœurs, et toi ma mère, et mon père, et tous ces gens qui comptent sur nous pour les protéger. Non, il n'y a pas d'hésitation possible : s'ils veulent rester ensemble, Pâris et Hélène doivent partir. Je vais donner les ordres pour qu'on prépare une escorte.

– Tu n'en feras rien. Je ne suis qu'une femme sans doute, mais je suis ta mère, et la sienne. Je te dis que tu n'en feras rien.

– Donne-moi des raisons pour qu'il en soit ainsi.

– Une raison, une seule raison suffit. Je ne condamnerai pas deux fois mon fils à mort.

– Deux fois ?

Le désespoir creuse le visage d'Hécube. D'une voix mourante, en s'arrêtant entre chaque mot, les yeux fermés, elle dit :

– J'ai tenté de faire mourir Pâris quand il était enfant.

CHAPITRE 3
LA VISION DE CASSANDRE

Un enfant enlevé à sa naissance, cela arrive n'est-ce pas ? Tout le monde y a cru. Mais ce n'était pas vrai. C'est moi qui ai tout inventé. C'est moi qui suis coupable de tout ce qui arrive.

Hécube parle et sa pâleur est si marquée que ses yeux noirs paraissent plus noirs encore.

– Est-ce qu'une mère peut exposer son petit à la mort ? Est-ce qu'il ne faut pas avoir perdu tout sentiment pour abandonner son enfant ? Les ourses et les lionnes se battent jusqu'à la mort pour protéger leurs petits et moi j'ai voulu faire mourir mon enfant.

Sa voix s'étrangle. Elle serre de toutes ses forces les mains de Pâris.

– Mère, je ne suis pas mort. Je suis là, vivant.

– Les premiers temps où je te portais, j'étais heureuse. Un enfant de plus à donner à Priam et à la cité. J'espérais un garçon ; je sentais bien à ta manière de t'agiter dans mon ventre que ce serait un garçon. Je n'étais pas malade comme quand j'ai attendu Cassandre et Hélénos. Au contraire, j'étais encore plus allante. Les beaux jours approchaient, la ville était tranquille, nous étions en paix avec les cités voisines. Les récoltes s'annonçaient abondantes. La vigne était plus belle qu'il n'est possible et le lait des brebis plus gras qu'il n'avait jamais été. Nous nous faisions bien un peu de souci devant les silences de Cassandre, mais Hector lançait déjà loin le javelot et nous avions le sentiment d'être bénis des dieux. Puis le rêve a commencé…

– Quel rêve ? demande Pâris.

– Le rêve… je devrais plutôt dire le cauchemar. Toujours le même. J'étais en train d'accoucher, mes femmes autour de moi me tenaient la main et m'aidaient mais – horreur ! – de mon ventre sortait un brandon, une torche enflammée qui mettait le feu à la pièce, au palais, à la ville. La première fois j'ai hurlé d'angoisse et Priam a dû rester près de moi jusqu'à l'aube. Du temps a passé, je tremblais de m'endormir. Et le cauchemar est revenu. Le même. Avec le feu qui gagne et dévore tout autour de moi. Et il est revenu de plus en plus souvent. J'ai consulté les devins de la cité qui m'ont dit qu'il fallait mettre à mort l'enfant qui allait naître, sinon la cité périrait. Ils voulaient que tu meures, comprends-tu ?

– Je suis vivant, mère. Tout cela c'est le passé.

– Oui, mais ce passé-là je vis avec depuis si longtemps… Tant de remords qui m'ont brisé l'âme. J'ai voulu livrer les devins aux molosses[1] mais Priam m'a persuadée : faire disparaître les mages ne ferait pas disparaître les présages. Alors j'ai consulté d'autres devins. Je suis allée interroger la Pythie de Delphes*. Et les prêtres de Delphes m'ont fait la même réponse, il fallait que l'enfant meure pour que la cité vive. Je ne voulais pas les croire. Je suis allée jusqu'à la cité de Mallos consulter le fameux Mopsos pour qui rien n'est caché dans les signes du ciel et de la terre et il m'a répété ce que je ne voulais pas entendre. Je me suis même déguisée en femme grecque pour recueillir l'avis de leur devin le plus renommé, Calchas, petit-fils d'Apollon. Il m'a écoutée et il m'a dit « lui ou elle ». J'ai répondu que je ne comprenais pas. Il m'a regardée sévèrement « Femme, tu déguises mal ton apparence et tu déguises encore plus mal ton mensonge. Tu as très bien compris. L'enfant ou la

---

1. *Très gros chiens de garde et d'attaque, élevés à l'origine par des Grecs d'Épire, les* Molosses.

Hector le bouclier de Troie

ville. » Je ne voulais pas. Mais tous ces avis répétés, et ce cauchemar qui n'en finissait pas. Les dernières semaines, c'était toutes les nuits. Je n'osais plus m'assoupir. Alors, à la naissance, je me suis résignée… « qu'il disparaisse ».

– Mère, ce n'est pas ce que disaient les devins.

– Non, les devins disaient qu'il fallait te faire mourir. Mais je n'ai pas pu donner cet ordre. Mon fidèle Linos, celui qui m'a élevée, t'a emporté et t'a abandonné sur le mont Ida. J'ai pleuré toutes les larmes de mon corps, pendant des jours secrètement. J'espérais qu'un berger se présenterait avec un enfant trouvé. Mais rien. Le temps a passé avec ma peine dissimulée. Priam me choyait.

– Tu ne lui as rien dit ?

– Comment aurais-je pu avouer cela ? C'était trop horrible. Je me suis murée dans le silence. J'étais seule avec mon crime. Impossible de me l'enlever de la mémoire. Pouvez-vous imaginer ce que c'est que de vivre tous les jours avec cette brûlure au fond de soi qui ronge, qui dévore, qui fait les crépuscules plus sombres. Tous les cauchemars de la nuit se sont mêlés dans ma tête pendant tout ce temps. Les songes les plus effrayants se sont succédé comme pour me punir de mon crime. Tel Prométhée[1] sans cesse dévoré par

---

1. *Titan condamné par Zeus à ce supplice pour lui avoir dérobé le feu (donné ensuite aux hommes).*

les vautours et sans cesse renaissant, j'ai repris des forces tous les jours pour les épuiser toutes les nuits dans des songes terrifiants.

– Mère, tu vois bien que j'ai survécu. Oublie ce passé qui n'est plus. Oublie les oracles* et leurs pièges. Oublie ce que tu as cru accomplir et qui n'est pas. Tu vois bien que les dieux ne sont pas définitivement cruels puisqu'ils ont permis naguère que mes pas me ramènent jusqu'à la cité, jusqu'à vous, jusqu'à toi.

– C'est vrai, les dieux sont magnanimes. Quand tu es entré dans le stade[1], pour cette course, avant même que Déiphobos ne t'embrasse, je t'avais reconnu. Tout mon corps avait frissonné d'émotion. À l'instant même j'ai su que c'était toi. Et le remords m'a été moins lourd un instant puisque tu as survécu.

– Mais son destin a survécu avec lui, dit Cassandre d'une voix sombre.

Hécube se redresse :

– Le destin, le destin… est-ce qu'il sait lui-même ce qu'il veut le destin ? Est-ce qu'il pourrait être cruel au point de m'obliger à condamner à nouveau ce fils dont la vue aujourd'hui encore ravive mes remords ? Un crime et tant d'années de souffrance, c'est assez. Je ne condamnerai pas deux fois mon fils. Et, moi vivante,

---

1. *Pâris, recueilli par un berger, a été reconnu par les siens alors qu'il était venu concourir à des Jeux.*

Hector le bouclier de Troie

personne ne le condamnera. Ou alors il faudra me bannir avec lui. Laisse-le vivre. Hector, je t'en supplie, laisse-le vivre sa vie, laisse-le aimer et laisse-moi vivre aussi. J'ai trop souffert toutes ces années.

Hector a le regard qui navigue entre sa mère, sa femme et sa sœur :

– Mère…

Hécube l'interrompt, la voix lasse, presque inaudible :

– Si tu les chasses, je sais que je vais mourir.

– Mère, je n'irai pas contre ta volonté. Tu n'es pas responsable des malédictions qui pèsent sur nous. Pâris va rester ici, et Hélène qui croit l'aimer va rester aussi. Nous enverrons des messagers à Ménélas pour décider des présents que nous lui offrirons en compensation. Et, s'il faut vider le trésor de la ville, nous le viderons. Peut-être ainsi échapperons-nous à la guerre. Et Pâris, qui croit aimer Hélène, peut choisir la demeure qu'il veut dans la cité. Mais c'est parce que tu le demandes qu'il en est ainsi. Seulement parce que tu le demandes.

– Tu décides donc de ta mort, chef des Troyens ?

C'est Cassandre qui s'est avancée, elle a son regard qui voit loin derrière, son regard des moments où ses paroles viennent d'un autre monde.

– Car ce sera la guerre. Compensation ? Réparation ? Dédommagement ? Fariboles que tout cela, sornettes, balivernes. Illusions pour les âmes simples.

Pour détourner le regard de la guerre qui vient. Et tu le sais mieux que quiconque, Hector, la guerre vient et va nous broyer.

– Je ne sais pas ce qui vient. Mais je crois que l'avenir n'est écrit nulle part.

– C'est cela, insulte les dieux. Cela va sûrement arranger les choses. L'avenir, il suffit d'ouvrir les yeux : il est rouge et noir. Rouge du sang versé, noir de l'incendie qui va dévorer nos maisons désertées.

– Pour incendier nos maisons, il faudra qu'ils entrent dans la ville. Les murailles sont épaisses et les portes sont étroites. Et tu sais bien que les oracles ont dit que tant que je serai vivant, aucun ennemi ne pourra entrer dans Troie.

– Je sais ce que disent les oracles. Je le sais même mieux que toi. Pauvre insensé, tu ne comprends donc pas ce que cela veut dire ?

– Ça veut dire que je protège Troie.

– Ça veut dire que comme Troie sera détruite, tu seras mort. C'est ton arrêt de mort qu'il y a dans cet oracle.

– Le mortel qui me tuera n'est pas encore né.

– Le mortel peut-être, mais si les dieux s'y mettent, crois-tu que tu pourras vaincre ?

– On verra.

– Tu ne verras rien. Tu auras les yeux dans la poussière quand ton corps transpercé rebondira derrière les chevaux.

Cassandre s'est pris les cheveux à pleine main. Ses longues tresses sont dénouées. La fureur douloureuse la fait trembler :

– Ils brûlent tout, ils détruisent tout. Ils jettent ton enfant du haut des remparts pour que le sang d'Hector ne vienne jamais leur demander des comptes. Ils forcent ta femme à se mêler au sang de ton meurtrier. C'est cela l'avenir que tu prépares Hector. Le sang et la douleur. Ils vont vous tuer tous.

Cassandre fixe ses frères comme s'ils étaient déjà étendus sans vie :

– Pâris, tireur de flèches, une flèche empoisonnée te transperce et ils laissent ton corps superbe empuantir l'atmosphère.

– Cassandre, petite sœur, viens maintenant.

– Laisse-moi, Hector au casque brillant. Tellement brillant qu'il t'éblouit et que tu n'es même plus capable de voir la réalité. Regarde donc. Profite de mes yeux.

– Cassandre, viens.

– Laisse-moi, Hector, chef de guerre. Regarde Déiphobos : un jour tu croiras qu'il t'aide à combattre et il ne sera qu'une ombre. Regarde-le bien : le vois-tu émasculé par un prince grec sous les yeux d'Hélène, l'amoureuse ? La belle amoureuse... Amoureuse de la mort surtout. Elle va vivre, ne t'inquiète pas, ce sont les autres qui vont mourir.

– Petite sœur, accompagne-moi.

– Je t'accompagne aux Enfers*, Hector. Regarde Troïlos, si beau que filles et garçons rêvent de lui : regarde-le dans le temple d'Apollon, pourchassé par la horde, forcé et percé de bronze.

– Cassandre, je suis là. Prends mon bras.

– Tu es là pour peu de temps. Prends mes yeux et regarde. Regarde Polyxène, si jeune, si douce, qu'ils mènent sur un bûcher funéraire.

– Petite sœur, ne crains rien. Je te protège.

– Tu me protèges aujourd'hui, mais demain ? Regarde-moi : plus aucun d'entre vous n'est là pour me défendre, ni toi ni les autres. Ils m'emmènent. Je ne suis qu'un butin, une prise de guerre, une proie. Rien ne sert de hurler. C'est le roi des rois qui me prend, qui me traîne jusqu'à ses vaisseaux. Et au bout du voyage, il y a la mort. Tous morts. Morte ma mère, mort de chagrin mon père. Et les murailles abattues, et la ville rasée. Et vous tous en cendres.

– Cassandre, viens.

Hector a pris par la taille Cassandre qui s'écroule sur son épaule. Il l'accompagne jusqu'à sa chambre. Il laisse ses compagnes rafraîchir son front et rejoint Andromaque, l'œil sombre, le front soucieux.

– Puissent ses visions n'être que des songes.

– Hector, tu sais bien que ce ne sont pas des songes. Tu sais bien qu'elle voit juste. Puisque Pâris et Hélène restent ici, il faut que nous partions. Si tu m'aimes, si tu aimes ton fils, il faut que nous partions. Je te demande de toute mon âme de partir.

CHAPITRE 4
LA SUPPLICATION D'ANDROMAQUE

Andromaque a pris les mains d'Hector dans les siennes.

– Viens, marchons tous deux pendant qu'il est encore temps.

– Je viens avec toi, mais n'espère pas me faire partir.

Hector a parlé à Andromaque d'une voix rude qui ne lui est pas habituelle. Il dégage ses mains de celles de sa femme et saisit son casque comme s'il lui fallait se protéger d'un danger invisible.

– Tu ne veux même pas marcher un peu avec moi ? Tu m'abandonnes ?

– Sotte épouse, répond Hector d'un ton bourru, quel mortel serait assez stupide pour abandonner une femme telle que toi ? Tu as raison, marchons un peu.

– Viens, enlève ton casque que je voie ton visage et marchons tous deux pendant qu'il est encore temps.

Andromaque entraîne son mari vers les remparts de la ville. Derrière eux, une servante donne le sein au petit enfant, Astyanax, que son père surnomme Scamandrios du nom du fleuve qui défend la cité. Ils arrivent aux portes Scées, celles qui débouchent sur la grande plaine en contrebas des murailles. La voix d'Andromaque est entrecoupée de sanglots :

– Hector, pense à nous, pense à moi. Je n'ai plus que toi, tu es tout pour moi. Tu es mon père, et ma mère, et mes frères. Mon père était roi de Thèbe[1] et Achille l'a tué. Ma mère, il l'a livrée aux flèches. Mes frères, mes sept frères, en un seul jour, il les a tués. Certains l'appellent le divin Achille. Moi je l'appelle le cruel Achille, créature échappée des profondeurs infernales. Il n'est pas fils d'une Néréide[2] accueillante, il est fils d'une Gorgone* ou d'une Érinye*, de Méduse ou de Mégère. Il a tué tous les miens. Je ne veux pas qu'il te tue aussi. Je n'aurai plus rien si tu disparais, la terre sera dépeuplée et le ciel sera vide, et il vaudrait mieux pour moi

1. *En Mysie (Turquie actuelle).*
2. *Thétis, mère d'Achille, est une Néréide, divinité marine.*

disparaître sous terre. Vois les larmes dans mes yeux. Jusqu'à ce jour, je ne t'ai jamais empêché d'aller au combat, je sais combien tu es vaillant et redoutable. Je sais qu'on t'appelle « dompteur de chevaux » et que tu conduis ton char plus habilement qu'aucun autre guerrier. Je sais bien qu'à la seule vue de ton casque scintillant, beaucoup s'enfuient sans demander leur reste. Je t'ai vu tant de fois déjà manier la longue lance, sans lâcher ton bouclier de peaux et de bronze. Je t'ai regardé lutter, frapper, courir et frapper encore, sans jamais trembler pour toi, car je connais ta force et ton habileté. Et je ne suis pas une faible femme. J'ai l'âme d'airain des femmes de Thèbe. Tu le sais bien, toi qui es ma vie. M'as-tu déjà vue pleurer ?

– Non, jamais. Même dans les douleurs de l'accouchement, tu ne criais pas.

– M'as-tu déjà vue m'affoler pour un corbeau qui s'envole sur notre gauche ?

– Non, je sais que tu n'es pas impressionnée par les présages.

– T'ai-je jamais accablé sous des gémissements d'angoisse et des lamentations ?

– Non, tu as le cœur aussi ferme que les plus vaillants guerriers.

– Alors tu sais qu'aujourd'hui je ne pleure pas pour rien. Tu dois m'écouter. Tu ne peux pas simplement suivre ton ardeur. Il y a ici un petit enfant et une infortunée qui ont besoin de toi. J'ai entendu ce qu'a dit Cassandre. Je l'ai entendu, non pas avec mes oreilles comme toi, mais avec mon cœur, avec mon ventre, avec mes entrailles. Elle dit juste. C'est la guerre qui s'avance. Ce n'est pas seulement un combat comme il arrive parfois quand un petit groupe isolé croit pouvoir s'en prendre aux gardiens des remparts ou qu'une meute de loups charge nos troupeaux. Ces combats-là, on s'en sort. Ce qui vient c'est autre chose, c'est une guerre où il y aura plus de morts que de survivants, plus de héros couchés sur les bûchers funéraires que de danseurs[1] pour les pleurer. Il n'y aura plus assez de taureaux et de boucs pour offrir des sacrifices dignes des guerriers disparus. Et dans cette guerre-là, Hector, tu vas mourir, et me laisser seule, abandonnée.

– Je combattrai la guerre.

– Non. Tu ne combattras pas la guerre, tu combattras à la guerre, ce qui n'est pas la même chose. Car tu ne pourras jamais réussir à empêcher ce qui vient. À quoi me sert d'être la princesse de Troie, la femme du chef le plus sage et le plus vaillant que les Troyens aient jamais eu, si je dois finir comme une veuve sans défense qu'un guerrier vainqueur ajoute à sa part de butin ? J'aimerais mieux être une servante inconnue et pauvre,

1. Voir Funérailles _dans le lexique._

vivant jusqu'au bout de son âge avec un mari aimant.

– Ils tueront aussi les servantes.

– Tu vois bien que toi-même tu ne crois pas que la guerre puisse être évitée.

– Rien n'est sûr, mais rien n'est écrit d'avance. Moi aussi je suis inquiet. Je sais bien qu'il y a un risque sérieux et que, depuis le temps que, de guerre en guerre, d'escarmouche en accrochage, de querelle en embuscade, nous affrontons les uns après les autres les princes grecs, il viendra un jour où nous aurons le dessous. Nous avons déjà combattu les Myrmidons d'Achille et Nestor, roi de Pylos ; nous avons affronté le rusé Ulysse, destructeur de villes, qui était accompagné de tous ceux d'Ithaque et de Samos ; les Atrides tour à tour – Ménélas venu de Sparte une année, Agamemnon son frère roi de Mycènes une autre année – ont essayé de nous réduire ; Ajax le grand, fils de Télamon, qui à lui seul a douze vaisseaux à Salamine, s'est attaqué à nous, en vain ; de Crète, d'Argos, de Pylos et de Tirynthe, d'Athènes et d'Étolie, ils ont de nuit et de jour, l'été et l'hiver, lancé des attaques de toutes sortes, sans jamais parvenir à franchir les murailles. Mais cette fois, c'est tous ensemble qu'ils vont se précipiter, si nous n'arrivons pas à empêcher la guerre. Alors, je suis inquiet, un jour Troie sera vaincue, et Priam à la forte lance périra, et son peuple avec lui.

– Partons Hector, emmenons l'enfant loin d'ici. Tu ne peux pas à toi seul te mettre en travers du destin.

Hector le bouclier de Troie

– C'est cela partons… et les hommes et les femmes de Troie diront « Qui était-il, celui-là, qui s'enfuit à la simple rumeur d'un combat ? Un prince ? Le chef de la cité ? Sûrement pas. L'enfant d'à peine deux coudées n'a pas peur de lancer des pierres sur l'ennemi, mais ce chef déguerpit comme un agneau qui a entendu le loup. »

– Hector, ils connaissent ton courage.

– D'âge en âge, je serai la figure du poltron, du couard, de celui qui décampe avant même que le danger ne soit là. On dira pleutre comme Hector, et capon, et lâche. Tu es ma femme, celle que j'aime, celle qui m'aime et tu voudrais que ma mémoire soit ainsi souillée ?

– Je me fiche des flétrissures de ta mémoire. Ça m'est égal qu'on cancane et qu'on médise, du moment que tu es vivant, que notre enfant est vivant, que nos jours nous appartiennent. Je serais bien consolée sans doute qu'on vienne me dire « Il excellait au combat, parmi tous les Troyens » si tu es mort ? Je serais une veuve digne et fière… très peu pour moi. Je veux que tu vives parce que je ne peux pas vivre sans toi, parce que notre fils aura besoin de toi.

– Moi aussi je veux vivre, pour toi et pour lui. Crois-tu que l'image d'un Achéen vêtu de bronze qui t'emmène ne me fasse pas frémir ? Crois-tu que je puisse sans trembler imaginer notre enfant dans la tourmente de la défaite ? Je veux que nous vivions. Mais par-dessus tout, je veux que nous vivions libres, sans jamais nous déshonorer.

– Ce serait se déshonorer que de protéger sa femme et son fils ?

– Ce serait se déshonorer que d'abandonner les gens de la cité quand ils ont besoin de moi.

– Tu crois qu'ils ne peuvent pas se passer de toi ? Quel orgueil ! Te prends-tu pour un dieu ? Mais même les dieux s'enfuient parfois…

– Je ne sais pas ce que font les dieux. Mais je sais ce que font les hommes courageux ; et ce qu'ils ne font pas. Les Troyens croient en moi, je ne les trahirai pas pour sauver ma vie tout seul dans mon coin. Nous nous sauverons tous ou nous périrons tous. Mais il ne sera pas dit qu'Hector s'est esquivé en laissant les siens aller à l'abattoir.

– Je vois bien que je ne t'ébranlerai pas. Tu es déjà en guerre dans ta tête. Ton regard est dur comme si les Grecs étaient déjà là.

– Je ne suis pas en guerre. Je ne veux pas de cette guerre. Je ferai tout ce que je peux pour éviter qu'elle n'ait lieu. Mais je ne peux pas infliger à ma mère la douleur de rejeter Pâris. Et si hélas les dieux ont décidé que c'était la guerre, je la ferai. Pour protéger la cité. Pour la protéger définitivement et ôter aux Grecs l'envie de recommencer.

Et Hector, fort de sa résolution, recoiffe le casque qu'il portait jusque-là sous le bras. Le métal dissimule

Hector le bouclier de Troie

une partie de son visage et ne laisse plus apparaître que ses yeux noirs.

– Je ferai cette guerre pour qu'elle soit la dernière. Je la ferai pour toi et pour lui.

En disant cela Hector se penche vers son fils dans les bras de la nourrice. Mais l'enfant, effrayé par la brillance du casque et le panache en crins de cheval qui le surmonte, se met à pleurer de toutes ses forces.

– Allons bon. Lui non plus ne m'aime pas en guerrier.

Andromaque sourit à travers ses larmes. Hector enlève son casque et le pose à terre. Il prend Astyanax et le berce doucement pour l'apaiser. Il chantonne une vieille complainte d'enfance et Andromaque chante avec lui en contrepoint. L'enfant sourit.

– Tu verras, il sera un jour illustre parmi les Troyens. On dira « il est bien supérieur à son père. » Il reviendra du combat avec les armes prises à l'ennemi et il réjouira l'âme de son père et de sa mère.

Hector et Andromaque tiennent l'enfant serré entre eux. Et dans la chaleur, Astyanax gazouille et s'endort. À gestes mesurés, Hector repose l'enfant dans les bras de la nourrice. Ils reprennent le chemin du palais.

– Et maintenant, nous allons faire chacun ce que nous devons faire. Tu vas mettre la maison au travail et je vais m'inquiéter de la guerre. Et de la paix s'il en est encore temps.

Andromaque a serré fort la main d'Hector. Puis en approchant du palais elle l'a lâchée ; elle a essuyé ses yeux et son visage est celui d'une femme résolue. Puisqu'il l'a demandé. Suivie de la nourrice, elle s'enfonce dans le dédale féminin du palais. Hector regarde sans mot dire sa femme et son fils disparaître dans la pénombre. La guerre n'est pas encore sous les murs de la cité, mais combien de temps faudra-t-il pour qu'elle soit là ?

Tous les jours, Hector va du palais aux remparts scruter l'horizon, essayant de sonder l'avenir, espérant secrètement que les chevaux de Némésis aient oublié le chemin qui mène à Troie. Le temps passe et la plaine de Troie reste vide ; est-il possible d'espérer ? Mais au fil des jours, les espions troyens rapportent des nouvelles moins rassurantes : les cités grecques ont commencé à rassembler leurs hommes, leurs chevaux et leurs vaisseaux. Partout, on fourbit les armes. Cependant, ils n'ont pas fait route encore. Seulement quelques incursions contre de petites cités comme Lymessos et Pédasos. Peut-être vont-ils s'égarer dans des pillages lointains et oublier ce qui les a rassemblés.

Mais un jour, alors que la cité est assoupie dans la chaleur accumulée de l'après-midi finissante, Déiphobos accourt au palais :

Hector le bouclier de Troie

– Hector, les Grecs ont annoncé des messagers. Ils ne vont pas tarder à arriver.

– Des messagers ? Sait-on de qui il s'agit ?

– Oui, à leur tête il y a Ménélas.

– Évidemment.

– Mais il y a aussi Ulysse.

« Avec celui-là ça va être plus dur », pense Hector.

– Eh bien, allons les accueillir !

CHAPITRE 5
LA PAIX À PORTÉE
DE MAIN

Dans le palais, les guerriers immobiles montent la garde. Priam, impassible, le sceptre à la main, attend. Hector s'est placé à sa droite. Déiphobos, le frère préféré d'Hector, est à la gauche du vieux roi. Hécube se tient derrière le trône. Habituellement les femmes ne sont pas admises à ces discussions, mais cette fois l'enjeu dépasse tout ce qui est habituel. Pâris est resté dans ses appartements avec Hélène. Les anciens se sont rassemblés à côté du trône, eux qui constituent le conseil des sages de la cité : leurs bras ne sont plus assez fermes pour manier le lourd glaive de

Hector le bouclier de Troie

bronze, mais leurs esprits sont avisés. Il y a là Panthoos et Thymoitès, ami des arts, Clytios et Lampos, si rapide dans sa jeunesse qu'on lui a donné le nom d'un des chevaux du char du Soleil, Oucalégon et Hikétaon qui descend d'Arès, le dieu de la guerre. Et pour guider leurs paroles, il y a Antênor, le plus sage des Troyens, qui a épousé Théano la sœur d'Hécube.

Sauf Priam, tous sont debout. Le silence est pesant comme celui qui précède l'éclair que parfois Zeus Tonnant lance du haut de l'Olympe*.

Les rayons du soleil couchant rougeoient sur les cuirasses des Grecs qui s'avancent en toisant avec morgue les Troyens alignés. Les deux chefs sont en tête. Ménélas, large d'épaules, dépasse d'une tête Ulysse qui marche à ses côtés. Derrière eux, les fidèles Samiens[1] du roi d'Ithaque forment une garde attentive.

– Priam, roi de Troie, fils de Laomédon, petit-fils d'Ilos, arrière-petit-fils de Dardanos qui naquit d'Électre, fille d'Atlas, toi dont la lignée remonte à Zeus puisque c'est de son union avec Électre que naquit Dardanos, Priam, dont les fils sont hautains et perfides, je viens chercher justice.

– Ménélas hardi au combat, fils d'Atrée, petit-fils de Pélops, engendré par Tantale, ta lignée aussi remonte à

---

1. *Habitants de Samos ou Samé, île ionienne proche d'Ithaque.*

Zeus Tout-Puissant puisque la mère de Tantale fut honorée par l'Olympien. Dis-moi quelle justice tu veux, car on ne saurait bafouer la justice.

– Elle est connue de tous ici, à moins que vous ne soyez ignorants comme vos chèvres ou qu'on ne vous ait crevé les yeux. Un de tes fils, Pâris, le trompeur et l'efféminé, celui qu'on appelle aussi Alexandre, car il a deux noms comme il a deux paroles, Pâris que j'ai accueilli sous mon toit, comme un hôte envoyé par les dieux, Pâris a volé ma femme.

– Il était cependant envoyé par les dieux, comme tous les hôtes. Comme toi-même dans ce palais.

– Il n'était pas envoyé pour voler. Est-ce que le père du voleur approuverait le voleur ?

– Tais-toi, Grec impudent. La colère t'égare. Ce n'est pas ainsi qu'on s'adresse à Priam aux cheveux blancs.

C'est Hector qui, le visage plein de fureur, s'est avancé d'un pas, face à Ménélas. Il continue :

– L'avantage de la jeunesse ne te donne pas le droit de parler sur ce ton au vainqueur des Amazones[1]. Si tu veux ta justice, tu vas l'exposer autrement ou sinon je vais te jeter dans la rue toi et tes hommes.

– Tu menaces un messager sous ton toit ?

– Je menace un insolent qui vient insulter mon père sous son toit, en ma présence.

---

1. *Peuple mythique de femmes guerrières, vivant près de la mer Noire.*

Hector le bouclier de Troie

– Voilà une ambassade comme il y en a peu. Mais pourquoi pas ? Réglons cela sur-le-champ.

Et Ménélas met la main à l'épée.

– Tout beau. Nous ne sommes pas là pour cela, nous sommes là pour exposer notre affaire.

C'est Ulysse qui a arrêté le bras de Ménélas et qui reprend :

– Nous sommes là pour parler. Nul doute que le vaillant Priam dans sa grande sagesse saura écouter et suivre les recommandations de ses anciens, soucieux d'économiser le sang de ses jeunes hommes. N'est-ce pas, Hector plein d'ardeur ?

– Le sang des jeunes Grecs aussi doit être économisé. Mais je reconnais bien là la sagesse renommée d'Ulysse. Sans doute as-tu une proposition à nous faire ?

– Oui. Nous sommes prompts les uns et les autres à nous échauffer et parfois les mots vont plus vite que notre pensée. Prenons le temps d'échanger comme des invités qui se respectent. Nous sommes venus avec des agneaux gras et des porcs charnus. Qu'une délégation des vôtres se rende à notre campement à l'extérieur de la ville et vienne partager les offrandes* que nous ferons aux dieux puis le repas qui nous permettra de parler.

– Les dieux ont bien mérité une offrande. La nuit est tombée déjà, mais demain nous aurons toute la journée pour un sacrifice solennel. Mais, sauf affront, le repas ne saurait se faire hors de nos murs. Nos bœufs sont plus gras que jamais, apportez vos agneaux et vos porcs et nous ferons un festin commun.

Toute la nuit les serviteurs se sont activés à la préparation du repas. Et au matin, sur l'esplanade, tout est prêt. Grecs et Troyens, sans s'être démunis de leurs armes – on ne sait jamais –, sont rassemblés.

Ulysse dit :

– Apportez ici deux agneaux, un mâle blanc et une femelle noire, lui pour le Soleil et elle pour la Terre. Et nous ferons serment de parler de bonne foi, sans céder à la colère meurtrière.

Hector à son tour dit :

– Apportez deux agneaux semblables que nous ajouterons aux gages du serment pour que tous, nous soyons liés par la décision de chercher la paix et non la guerre.

Alors les prêtres versent de l'eau sur les mains des chefs troyens et grecs, puis ils mélangent du vin épais dans le cratère d'or et le tendent à Ulysse et à Hector qui boivent l'un après l'autre à la même coupe. C'est à Antênor, le plus vieux des sages troyens, que revient l'honneur de couper quelques poils sur la tête des agneaux et de les distribuer aux plus nobles des guerriers présents. Puis les deux chefs, les bras levés, prient d'une voix forte en alternant leurs chants :

– Zeus Très Glorieux, père qui gouvernes du haut de l'Ida,

– Et toi Soleil qui vois tout et entends tout,
– Fleuves et Terre, Nuit et Sommeil,
– Et vous, qui aux Enfers, punissez les parjures,
– Soyez les témoins de nos engagements,
– Et veillez à la fidélité de nos serments.

Les prêtres tranchent la gorge des agneaux et font les libations* au fils de Cronos[1]. Et tous s'assemblent pour le festin. Dans l'ombre d'une colonne, à demi cachée, Hélène surveille cette rencontre qui va décider de son sort.

Les souches de chêne ont fourni des lits de braise et bientôt la fumée odorante des graisses accompagne le grésillement des viandes qui cuisent. Déiphobos distribue le pain dans une belle corbeille et Hector sert les viandes. Les convives satisfont ainsi la faim et la soif. Ménélas mange à belles dents, en homme pressé. Ulysse, en diplomate avisé, veille à laisser les meilleurs morceaux devant Hector. Quand tout le monde est rassasié, Ulysse élève sa coupe de vin et dit :

– Je salue le très sage Priam et le premier de ses fils, Hector au casque étincelant. Leur hospitalité est celle des dieux. Comment pourrions-nous nous battre ou nous faire tort ?

Hector, élevant de même sa coupe, répond :

– Seule la folie pourrait nous lancer dans la plaine,

1. *Titan né du Ciel et de la Terre, père de Zeus, Héra, Hadès, etc.*

pique contre pique, glaive contre glaive. La sagesse consiste à échanger des gages de paix entre nous.

– Eh bien, échangerais-tu Andromaque contre Hélène ? Repartons avec Andromaque et la paix sera garantie entre nous pour longtemps.

– Tu es rusé, Grec. Mais je ne crois pas qu'Andromaque ait désiré me quitter.

– Tu as raison, je te mettais à l'épreuve. Chacun connaît la fidélité d'Andromaque. Dans ce cas, la solution est plus simple encore, repartons avec Hélène, et il n'y aura plus de motif de discorde entre nous.

– Tu n'es pas seulement rusé, Grec, tu es aussi entêté. Je ne crois pas qu'Hélène ait désiré repartir.

– Il faudra bien pourtant trouver une solution.

– Laissons les dieux décider de la solution. Ainsi, il ne pourra y avoir ni arrière-pensées ni récriminations.

C'est Antênor qui vient de parler. Il se lève pour mieux expliquer :

– L'enjeu qui fait que nous sommes sur le point de nous affronter, c'est une femme. Ménélas a bien des droits à vouloir qu'elle soit à lui puisqu'il est son époux, son amour d'hier, mais Pâris ne manque pas d'arguments puisqu'il est son amour d'aujourd'hui. Comment pourrions-nous choisir entre l'amour d'hier et celui d'aujourd'hui ? Laissons les dieux décider. Puisque cette querelle est la querelle de deux hommes, n'en faisons pas la querelle de deux peuples. Au contraire, que

Hector le bouclier de Troie

les deux peuples soient garants de ce jugement : qu'à un jour fixé d'un commun accord, Ménélas et Pâris, devant nos peuples assemblés, se retrouvent et se combattent, en ayant juré de se battre loyalement. Que le vainqueur emmène cette femme et tous ses biens dans sa maison et nous, faisons serment d'assister le vainqueur quel qu'il soit.

– Ça me va, dit Ménélas, l'un de nous deux mourra et l'autre aura lavé sa querelle. J'en suis.

– Tu en seras peut-être, mais tout seul. Ce marché ne se fera pas.

Hélène a quitté l'ombre de la colonne qui la dissimulait et sa voix courroucée s'est imposée dans le brouhaha.

– Comment oses-tu ? crie Ménélas, de quoi te mêles-tu ?

– J'ose parce que j'existe. Je me mêle de mon existence. J'entends qu'on décide de moi comme d'un troupeau ou d'un lopin de terre. Suis-je une outre de vin qu'on déplace d'un grenier à un autre ? Suis-je une brebis docile qu'on change de pâturage au gré des saisons ? J'existe et j'ai décidé de vivre ici.

Hector veut repousser Hélène, mais celle-ci se dégage. Ménélas reprend :

– Tu n'as pas à décider.

– C'est toi qui vas me donner des ordres peut-être, petit roi de Sparte ?

– Troyens, faites-la taire avant qu'elle ne me pousse à bout.

– Troyens faites-la taire, car moi je n'y arrive pas, se moque Hélène.

– Par tous les dieux…

– Il y faut donc aussi l'aide des dieux. Tu n'arrives pas à faire taire une faible femme et tu voudrais te battre avec un homme. Bats-toi si tu veux, si tu trouves quelqu'un contre qui te battre. Mais de toute façon, cela ne me concerne pas.

Hélène tourne les talons et disparaît dans la nuit. Ménélas toise Hector :

– Tu l'auras voulu.

– Je n'ai rien voulu. Et tu le sais bien

– Elle m'a insulté publiquement. Quand je reviendrai, cette plaine sera couverte de chars de guerre et de piques. Tu peux dire aux femmes de Troie de préparer les lamentations funèbres. Je ne laisserai pas pierre sur pierre de cette cité. Venez vous autres.

Ulysse ne peut que suivre et tous les Grecs forment le carré autour de leurs princes pour sortir de la ville.

Hector serre les poings à s'en briser les doigts. La paix est passée tout près et nul n'a pu la saisir. C'est la guerre qui vient maintenant.

CHAPITRE 6
LA GUERRE HÉSITE

Sur le rempart au-dessus des portes Scées, Hector est face à la plaine. Andromaque est à côté de lui. Plus loin Cassandre est perdue dans ses songes.

Hector s'interroge :

– Viendront-ils ? Voilà des mois qu'ils ont rassemblé tant de vaisseaux. Nos espions sont formels. Toutes les cités ont fourni des hommes et des navires et nous savons qu'ils ont des centaines de bateaux : les Béotiens, les Minyens et les Phocéens sont là ; les Locriens avec leurs vaisseaux noirs sous la conduite d'Ajax, les Abantes aux cheveux longs, les Athéniens, tous ceux de Mycènes, de Pélos, et même de Rhodes, et de Crète…

Hector le bouclier de Troie

Tant d'hommes harnachés pour le combat, et puis… rien ! Leurs vaisseaux sont immobilisés. On dit qu'Artémis*, déesse de la chasse, punit ainsi Agamemnon de son insolence. Ce fier-à-bras n'a rien trouvé de mieux que de se prétendre meilleur chasseur que la déesse.

– Es-tu si impatient que la guerre vienne ? demande Andromaque.

– Non. J'aimerais mille fois mieux qu'elle s'éloigne de nous ; mais cette incertitude finit par être pire encore. Nous sommes sur le pied de guerre depuis trop longtemps. Toute la vie de la cité est tournée vers une guerre qui ne se décide pas, mais qui nous mine comme une espèce de maladie qui ne se déclare pas.

– Ne parle pas de maladie. Tu sais bien que les Grecs sont décimés par la peste.

– À mourir pour mourir, je suis sûr qu'ils préféreraient être défaits par nos armes que par la peste.

– Et nous ? Est-ce que nous allons mourir de la peste ou de la guerre ?

– Nous n'allons pas mourir, Andromaque, nous allons vivre. Vaincre et vivre.

– Vaincre, alors qu'autour de nous il y a toutes les cités grecques, de la plus grande à la plus petite ?

– Oui, mais des Grecs divisés. Tout le monde sait qu'entre Agamemnon et Achille, c'est la rupture. Achille l'a crié assez fort pour que nul ne l'ignore.

– Est-ce vraiment une querelle durable ? Tu sais comme ils sont prompts tous les deux à se mettre en colère.

– Je crois que c'est très grave, car c'est une querelle de pouvoir : Agamemnon a profité de son autorité de roi des rois pour enlever une esclave nommée Briséis du butin qu'Achille avait reçu après le saccage de Lymessos. Achille n'est pas très attaché aux femmes, mais il est très sourcilleux sur ses prérogatives. Agamemnon lui a dit qu'il se fichait totalement qu'il participe ou pas à l'expédition. Tu imagines la réaction d'Achille. Il a traité Agamemnon d'ivrogne, d'œil de chien et de cœur de cerf. Il s'en est fallu de peu qu'il ne tire l'épée contre lui.

– Mais ils vont se réconcilier. L'autre va lui faire porter des présents et envoyer Nestor ou Ulysse ou quelque autre homme éloquent. Ils ne peuvent pas se passer de la force d'Achille.

– Nestor et Ulysse ont déjà essayé. En vain. Pourtant tu sais combien ils sont habiles dans le maniement de la parole. Et Ajax et Phœnix aussi sont allés le voir, sans résultat. Ils sont tellement désemparés qu'ils ont même envoyé Diomède, qui n'est pourtant pas le plus patient ; mais ça n'a servi de rien. Achille passe son temps sous sa tente avec son bel ami Patrocle, ou bien il s'entraîne à la lutte avec ses Myrmidons, ou bien il attelle à son char Xanthos et Balios ses chevaux divins et il parcourt comme un fou les plaines et les monts à l'entour.

Hector le bouclier de Troie

– Sans la force d'Achille et avec la peste qui pèse sur eux, ils vont peut-être se décourager ?

– Si les dieux étaient avec nous, ils continueraient de retenir les vents dans les outres sacrées. Sans vent, les vaisseaux creux des Grecs n'arriveront pas à manœuvrer.

Cassandre s'est rapprochée d'Hector et d'Andromaque :

– Est-ce qu'on peut compter sur les dieux ?

– Tu dois connaître la réponse, petite sœur, qui passes tant d'heures dans les songes de l'Olympe et des Enfers.

– Bien sûr que je connais la réponse.

– Et quelle est-elle ?

– La réponse est non. On ne peut pas compter sur les dieux. Ils s'amusent de nous un instant comme le loup avec le petit agneau puis ils font ce que bon leur semble. Les dieux ne nous aiment pas. Ils se servent seulement de nous pour vider leurs propres querelles, comme font aussi tous les rois et les princes avec les paysans et les esclaves de leurs cités.

– Est-ce que c'est pour moi que tu dis cela ?

– Non, mon frère chéri. Je sais bien que tu n'es pas comme ces princes et ces dieux qui ne rêvent que d'accroître leur pouvoir. Mais reconnais que la plupart d'entre eux ne te ressemblent pas.

– Je ne connais pas bien les dieux…

– Contente-toi de la cruauté des hommes.

– Cassandre, parfois je crois que tu prends plaisir à insulter les dieux !

– Hélas, si c'était vrai... si mes propos étaient des inventions, des contes, des mensonges. Mais la réalité des dieux est bien pire encore. Les dieux sont inconstants et cruels. Vois-tu, ils vont envoyer des vents aux Grecs, tous les vents nécessaires pour que leurs bateaux arrivent jusqu'ici.

– Et pourquoi le feraient-ils maintenant alors qu'ils s'en sont abstenus jusqu'ici ?

– Parce qu'ils ont trouvé un prix à faire payer aux Grecs...

– Un prix ? Mais qu'est-ce que les dieux ont à faire de l'argent et de l'or ?

– Qui t'a parlé d'argent et d'or, pauvre humain ? Ils ont trouvé un prix à la mesure de leur folie.

– Un sacrifice ?

– Bien sûr, un sacrifice. Mais de qui ?

– D'une jeune vierge, j'imagine.

– Tu imagines bien. Mais jusque-là ce n'est pas très nouveau. Creuse-toi un peu la tête pour rajouter de la cruauté dans tout ça.

– Je ne sais pas.

– Non tu ne peux pas avoir l'imagination assez cruelle. Ils ont demandé à un père de sacrifier sa fille !

– Quel père serait assez dénaturé pour faire cela ?

Hector le bouclier de Troie

– Agamemnon, le roi des rois, qui va égorger sa propre fille Iphigénie[1].

– Mais Iphigénie n'est pas avec les troupes grecques, elle est au palais à Mycènes.

– Oui, mais sous prétexte de la marier à Achille, Agamemnon l'a fait venir et va répandre son sang pour apaiser la déesse chasseresse qu'il a lui-même offensée.

– Je ne crois pas qu'Agamemnon qui est un grand chef parmi les Grecs s'abaissera à ce genre de turpitude. Comment pourrait-il accepter de reporter sur sa fille le prix de sa propre responsabilité ? Car c'est bien lui qui a provoqué le courroux de la déesse, comment pourrait-il se défausser lâchement sur sa fille ?

– Hector, mon frère chéri à l'ardeur du lion, tu es très courageux, et très habile au combat, et très honnête. Mais tu ne connais pas bien l'âme des hommes.

– C'est-à-dire ?

– Qu'y a-t-il dans l'âme d'Agamemnon ? T'es-tu déjà posé cette question ? Dans l'âme de Nestor, il y a la satisfaction de la sagesse que donne le grand âge. Dans l'âme d'Ulysse, il y a le plaisir de l'intelligence des mots et des phrases et du verbe sonore. Dans l'âme de Diomède, il y a l'accomplissement de la force brute, celle des demi-dieux. Dans l'âme d'Achille, il y a la hantise de la vieillesse, et de l'affaiblissement, et de la décré-

---

1. *Voir* Un piège pour Iphigénie, *dans la même collection.*

pitude. Le seul souci d'Achille c'est de mourir jeune, pendant qu'il est encore beau et admirable. C'est parce qu'il y a la mort dans son âme, qu'il est si terrible au combat. Et ils sont tous rois dans leur cité. Mais Agamemnon, lui est roi des rois, car dans son âme il n'y a qu'une chose : le pouvoir. Il est moins expérimenté que Nestor, moins fort que Diomède, moins subtil qu'Ulysse, moins terrible qu'Achille. Et pourtant il est leur chef. Parce qu'il ne pense qu'à cela, parce qu'il fait tout pour cela. Alors crois-tu qu'il va hésiter à immoler sa fille, si c'est nécessaire pour son sceptre ?

– Décidément la famille des Atrides porte la mort en elle. Agamemnon et Ménélas ont été élevés dans l'assassinat et les haines familiales inexpiables. Les deux frères ont vu leur père et leur oncle s'entretuer et ont prêté la main au meurtre de leurs cousins. Il en reste encore quelque chose aujourd'hui.

– Peut-être finalement qu'Hélène a quelques bonnes raisons de souhaiter vivre ici paisiblement avec Pâris plutôt que de souffrir là-bas dans cette tragédie sans fin.

C'est Andromaque, de sa voix douce, qui se met pour un instant à la place de celle par qui le drame arrive.

– Je sais bien que tout le monde la regarde avec antipathie. Mais elle a aussi le droit de rêver, de désirer être choyée, de vouloir écouter la lyre de Pâris qui joue si bien.

Hector le bouclier de Troie

Cassandre écoute sa belle-sœur, mais ses yeux sont ailleurs. Andromaque ajoute :

– Elle préfère ce mari au précédent. Qui pourrait lui donner tort ? Quelqu'un l'a-t-il obligée à rester vivre avec Thésée auparavant ? Pourtant Thésée l'avait épousée. De force, mais il l'avait épousée. Quand Pollux est allé délivrer Hélène, est-ce qu'Athènes est allée faire la guerre à Sparte ? Non, évidemment. Alors pourquoi faire porter à cette femme la mauvaise querelle d'aujourd'hui ?

– Parce qu'avec cette mauvaise querelle, c'est le fil de vos jours qui va être rompu, et cette cité qui va être détruite.

– Cassandre, tu vois toujours les choses en noir.

– Je n'en veux pas à Hélène. J'en veux au destin.

Le soleil déclinant trace des rayons de sang sur la plaine. Hector tient dans ses bras, à droite Andromaque, à gauche Cassandre.

– Ma femme, ma sœur, il va falloir que vous soyez plus courageuses encore que d'habitude, et plus aimantes aussi. C'est moins que jamais le moment de laisser la discorde s'installer entre nous. Moi-même j'en ai beaucoup voulu à Pâris de ce que je considérais comme une aventure irresponsable, mais peut-être ai-je eu tort. Il faut accepter Hélène parmi nous, comme une belle-sœur, sans acrimonie.

– C'est ce que pense Priam. Il me l'a dit, ajoute Andromaque.

– Mon père t'a dit des choses comme cela, lui qui est si parcimonieux de ses paroles ?

– Eh ! oui, il arrive que les beaux-pères parlent à leur belle-fille. Et devant moi il l'a appelée « ma fille » et l'a rassurée « tu n'es pas responsable de cette maudite guerre achéenne que les dieux ont voulue ». Voilà les paroles de ton père.

– Il a raison, il faut rester plus unis que jamais, car l'avenir va être terrible.

– Pourquoi dis-tu cela ? Tout à l'heure tu t'interrogeais sur l'absence d'événements.

– Si Agamemnon a immolé Iphigénie, la guerre est certaine, car il n'aura pas pour rien tué sa propre fille et il voudra nous faire payer au centuple ce sacrifice.

CHAPITRE 7
LA GUERRE EST LÀ

D ans Troie, le temple d'Athéna est l'édifice le plus imposant, plus majestueux même que le palais de Priam. C'est qu'il est construit autour d'une statue de bronze gigantesque de la déesse représentée assise. Mais la statue la plus précieuse est cachée en son centre, dans une petite pièce aux murs épais, sans autre ouverture qu'une porte étroite : le Palladion, cette petite statue de bois tombée de l'Olympe un jour de colère de Zeus, est une figure d'Athéna, pieds joints comme pour le combat, la lance dans la main droite et un fuseau dans la main gauche.

Hector le bouclier de Troie

Les oracles ont depuis toujours dit que le Palladion était là pour protéger Troie. Les prêtresses du temple sont nombreuses, et la grande prêtresse est Théano, la sœur d'Hécube, l'épouse d'Anténor très sage.

Vers le temple, monte un cortège conduit par Hécube suivie des Troyennes les plus nobles de la ville, puis d'un grand nombre de femmes, jeunes et vieilles, mères et aïeules, veuves ou frêles épousées : car sous les murs de Troie, le carnage est grand parmi les défenseurs.

À plusieurs reprises déjà les Grecs sont arrivés à portée de javelot des portes. Et les guerriers achéens font une nouvelle fois un grand massacre, où beaucoup de vaillants combattants considérés comme des piliers de la cité sont tombés, percés de la lance, atteints par le glaive, le corps troué de flèches ou la tête broyée par des pierres. Chez les Troyens, les rangs s'éclaircissent. Le sentiment que les dieux ont choisi le camp des Grecs s'installe peu à peu. Hector organise le combat, en première ligne quand il le faut ou en retrait pour mieux diriger le mouvement. Cette offensive des Grecs est la plus dure qu'ils aient jamais lancée. Il faut que toutes les forces troyennes soient dans la lutte. Hector a pris le temps d'aller chercher Pâris, le meilleur archer de la cité. Il l'a durement injurié d'oser rester enfermé dans sa chambre avec Hélène, pendant qu'on se bat pour eux ; et Pâris s'est résolu à le suivre. Sur le chemin, Hector a croisé sa mère qui lui a essuyé le visage et lui a proposé du vin au goût de miel pour reprendre vigueur. Mais Hector a expliqué à Hécube que cette fois, la situation était très grave : la force des corps et la fermeté des bras n'y suffiront pas. Il faut prier les dieux. Le deuil est suspendu sur la tête de toutes les femmes et filles de Troie. Il faut que sur-le-champ elles aillent toutes, sans cesse, prier au temple d'Athéna.

Il n'est pas habituel qu'Hector ait recours aux dieux. Et les femmes ont bien compris que l'enjeu était d'importance. C'est pourquoi des maisons de la ville, des palais aux masures, elles montent toutes vers le temple de la déesse.

Les filles d'Hécube ont rassemblé les parfums les plus précieux de leurs maisons. Des servantes traînent douze génisses d'un an qui seront sacrifiées. Hécube elle-même a sorti de son trésor le voile le plus grand et le plus beau qu'elle possède ; il est merveilleusement brodé. Pendant que Théano déposera le voile sur les genoux de la déesse, les génisses seront offertes en hommage. Les femmes psalmodieront des chants de douleur puis Théano priera Athéna :

– Vénérable Athéna, divine entre toutes les déesses, brise la pique des Grecs, fends leur bouclier et tords leur glaive. Fais qu'ils tombent devant les portes Scées, si tu as pitié de cette ville, des femmes de Troie et de leurs petits enfants.

Les Troyennes ont confiance dans la déesse, mais à l'écart Cassandre, la seule à oser ne pas baisser les yeux, a vu la déesse hocher la tête pour dire non.

Andromaque, elle, n'est pas allée au temple. Elle est sur le rempart, elle observe le combat. Ses yeux ne quittent pas une seconde le casque étincelant d'Hector, reconnaissable à son haut panache noir.

La mêlée est furieuse et, à force de saper la défense des Troyens, les Grecs sont de plus en plus menaçants. Leurs chefs, Agamemnon en tête, font des trouées sanglantes dans les lignes troyennes, de moins en moins solides. Ajax et Diomède qui ne veulent pas être en reste font de même. Un peu plus loin Ulysse, qui n'est pas seulement un orateur habile, mais aussi un guerrier respectable, et Ménélas tentent de prendre à revers les Troyens. Du haut du rempart, Andromaque voit Hector reformer les lignes, exciter les guerriers au combat. Elle entend ses cris qui réveillent la bataille. Les Troyens, qui reculaient, s'arrêtent et font front.

En avant de ses troupes, Agamemnon se précipite, et face à lui accourt Iphidamas, le fils le plus jeune d'Anténor. L'Atride lance sa pique contre lui, de toutes ses forces, mais à côté. Iphidamas le frappe alors au bas de la cuirasse mais la pointe de son arme se brise sur le ceinturon d'argent. Alors le roi des rois, d'un revers d'épée le blesse mortellement au cou et Iphidamas s'endort d'un sommeil de bronze. Agamemnon entreprend de le dépouiller de ses armes, en commençant par le casque, bien ajusté sur les tempes. Il ne voit pas arriver Coon, le frère aîné d'Iphidamas, désespéré de la mort de son cadet. Celui-ci lui perce le bras et pendant que le Grec chancelle, il tire le corps de son frère par les pieds pour le ramener vers les siens, tout en appelant à l'aide. En vain, car Agamemnon lui porte un coup funeste et, furieux comme un lion blessé, il lui coupe la tête et la jette de toutes ses forces dans les rangs troyens. Mais la blessure est trop vive ; le voilà qui monte sur son char et son écuyer l'emmène en retrait vers les vaisseaux grecs qui attendent sur le rivage.

Hector a vu que le roi des rois, blessé, s'est retiré du combat. La mort des fils d'Antênor le rend plus ardent encore. Il pousse les Troyens à l'attaque et lui-même au premier rang met en pièces les troupes des Danaens[1] qui sont en face de lui : Opitès, Oros et le belliqueux Hipponoos ainsi que neuf autres chefs de la cité d'Argos tombent sous ses coups, sans pouvoir faire quoi que ce soit, et leurs têtes roulent dans la poussière. Hector ne prend même pas le temps de ramasser leurs armes et poursuit sa course meurtrière. Ulysse et Diomède, revenus vers le centre des combats, constatent l'étendue des dégâts et les risques mortels que court l'armée grecque. Ils contournent la mêlée et Diomède que nul n'a jamais vaincu lance sa longue pique en visant la tête du chef troyen qui domine la bataille. La

---

1. *Autre nom des Grecs au temps d'Homère (comme Achéens).*

Hector le bouclier de Troie

pique frappe durement le casque de bronze à trois épaisseurs, mais ne l'entame pas. Cependant, le fils de Priam, presque assommé, chancelle, fléchit les genoux et tombe. Le Grec s'approche pour profiter de son avantage, mais Pâris qui, à l'écart, tire des flèches dont beaucoup sont fatales, blesse Diomède au pied. Celui-ci est obligé de s'éloigner et Ulysse, isolé, est à son tour blessé.

Sentant la victoire à portée de main, Hector repart au combat et face à lui, les Grecs cèdent sous la poussée. Cependant, à l'autre bout du champ de bataille, l'affrontement est incertain : les Troyens qui n'ont plus beaucoup d'ennemis devant eux devraient pouvoir enfoncer ce rideau de combattants et s'emparer des vaisseaux grecs, immobilisés sur le sable. Or ils n'arrivent pas à avancer : c'est que le grand Ajax, fils de Télamon, fait rempart de sa force. Tel Briarée[1] aux cent bras, il est partout à la fois et son grand bouclier aux sept épaisseurs arrête les traits des Troyens. Il est le dernier atout des Grecs.

À grands pas, Hector fend la masse des guerriers troyens et s'avance vers le prodigieux Ajax. Tout autour le silence s'est fait. Grecs et Troyens savent bien qu'il va se livrer là un combat comme peu de mortels en ont vu jusqu'à présent. Dans le jour qui tombe, ils se sont mis

---

1. *Géant fils d'Ouranos, doté de cinquante têtes et de cent bras.*

en cercle, posant leurs armes à leurs pieds et laissant un grand espace dans lequel les deux héros s'affrontent déjà du regard. Plus d'un Grec tremble pour Ajax, en pensant à l'habileté d'Hector et plus d'un Troyen observe avec effroi la taille gigantesque d'Ajax et son sourire farouche. Hector lui-même a un instant de panique, mais il est impossible de reculer maintenant. Il faut vaincre.

Ajax l'apostrophe :

– Eh bien, Hector, fils de Priam, vaillant combattant ! Crois-tu que tu vas m'abattre et qu'il n'y aura plus aucun Grec après moi ? Achille s'est retiré des combats et tu te dis qu'il sera plus facile de vaincre. Comme un petit enfant, tu te réjouis de son absence et tu crois la victoire à portée de ta main. Mais regarde-moi. Est-ce que j'ai l'air effrayé ? Est-ce que ta vue me trouble ? Est-ce que mon bras est devenu plus faible ? Allons Hector, écoute la raison : après moi il y a beaucoup de bons guerriers, et puis il y a Achille dont tu ne pourras jamais bousculer les vaisseaux. Tu n'as pas la force de l'emporter. Il n'y a pas de honte à constater qu'on est moins fort. Jette tes armes, arrête cette guerre, ouvre les portes de la cité et livre-nous Hélène.

Hector a repris son souffle :

– Ajax, fils de Télamon, descendant de Zeus. On te dit bon guerrier, mais je ne te savais pas aussi bavard. Tant que j'aurai un souffle de vie, Troie vivra. Alors cesse de discourir et bats-toi.

Hector le bouclier de Troie

Les deux hommes ont assuré le casque sur leur tête. Le premier, Hector lance sa pique qui frappe en plein milieu du bouclier d'Ajax et traverse les sept épaisseurs de peaux mais se tord sur le bronze qui constitue la dernière couche. Ajax à son tour lance sa pique, avec une telle force qu'elle traverse le bouclier d'Hector et passe entre sa cuirasse et sa tunique. Les deux combattants se débarrassent des piques et tombent l'un sur l'autre comme des sangliers enragés. Hector cette fois réussit à entamer le bouclier d'Ajax, mais celui-ci le blesse au cou. Le sang qui coule n'arrête pas les deux hommes. Hector prend une énorme pierre noire et il en frappe, de tout son bras, le bouclier d'Ajax dont le bronze résonne longuement. Ajax prend une pierre plus grosse encore et assomme presque Hector qui tombe sur le dos, sans lâcher son bouclier. Récupérant son épée dans le sable, il fauche les jambes d'Ajax qui ne saute pas assez vite pour éviter d'avoir le pied entamé. Et, glaive en main, chacun perdant son sang, les deux hommes sont à nouveau face à face.

Mais la nuit est tombée. Les guerriers troyens et grecs se désolent de ce que l'obscurité pourrait avoir raison d'un de ces deux admirables combattants, tous deux méritants. Alors ils désignent le plus ancien de chaque côté pour s'interposer.

– Guerriers aimés de Zeus, cessez de vous battre. La nuit est sombre et il est bon d'obéir à la nuit.

Ajax grogne :

– C'est Hector qui a provoqué ce combat. C'est à lui de s'arrêter d'abord.

Hector baisse son bouclier :

– Ajax, par ta force tu surpasses tous les Achéens. Je ne veux pas te blesser par surprise dans l'obscurité. Pour aujourd'hui, cessons ce combat. Nous en aurons d'autres plus tard. Mais ce soir séparons-nous loyalement.

Les Grecs se réjouissent de n'avoir pas perdu Ajax qui est leur plus vaillant guerrier, tant qu'Achille reste à l'écart. Et Hector rentre dans Troie, entouré et acclamé. Andromaque s'est précipitée vers son mari :

– Tu as frôlé la mort.

– Oui, mais j'ai aussi frôlé la victoire. Maintenant je sais que demain nous allons vaincre.

CHAPITRE 8
LA VICTOIRE D'HECTOR

Hector n'a cessé de réfléchir à son combat contre Ajax :

– Nous allons vaincre maintenant.

– Pourquoi dis-tu cela alors qu'Ajax a failli te tuer ?

– Parce qu'ils n'ont plus que lui. C'est leur dernier combattant de valeur. Diomède est blessé, Ulysse également. Agamemnon lui-même est blessé. Nestor n'est pas en âge de combattre. Ménélas a reçu beaucoup de coups. Il n'y a plus qu'Ajax qui puisse les sauver puisque Achille ne se bat plus. Ni lui ni son ami Patrocle, ni ses Myrmidons. Eux sont encore frais puisqu'ils n'ont participé à aucun combat depuis longtemps, mais Achille les tient éloignés. Les Grecs n'ont plus qu'une chance, c'est Ajax. Il suffirait que demain ou un jour proche, je l'abatte pour que le découragement envahisse leurs âmes et qu'ils s'éloignent.

– C'est remettre le sort de la guerre sur un face-à-face hasardeux.

– Crois-tu que ce serait la première fois que le hasard déciderait ? De toute façon, il faut bien en finir.

Andromaque écoute, le cœur serré. Plus loin Cassandre a les yeux fixés sur l'horizon.

Dans le camp grec, c'est le désarroi. Non seulement Diomède, Ulysse et Agamemnon sont blessés, mais Ajax est ébranlé par son combat contre Hector : la différence de taille et de force est telle qu'il aurait dû l'emporter en quelques coups et il n'en a rien été. Est-ce la fatigue, l'épuisement, la fièvre ? Il divague et son esprit bat la campagne ; il veut égorger des moutons qu'il prend pour des Troyens. Les Grecs sont sans meneur et à la merci d'une sortie troyenne qui brûlerait leurs vaisseaux.

C'est ce que Patrocle explique à Achille qui, intraitable, refuse de marcher au combat. Il lui montre que maintenant ce sont leurs propres vaisseaux qui sont menacés par une éventuelle poussée des Troyens. Achille consent alors à prêter ses armes à Patrocle pour défendre les bateaux. Mais Hector ne le sait pas.

Devant les portes Scées, une nouvelle fois c'est la bataille, furieuse, acharnée, déchaînée : les Troyens espèrent bien cette fois-ci atteindre les vaisseaux grecs et les brûler. Hector observe le mouvement des phalanges depuis les remparts et se prépare à entrer dans la mêlée. Il commente pour sa femme et sa sœur :

– Voyez comme nous les avons déjà repoussés presque à leur point de départ. Ils n'ont plus les bras, ils n'ont plus le cœur. Cette fois la victoire est presque à nous. Je vais aller hâter la fin du combat.

Andromaque essaie de le retenir :

– N'y va pas Hector. Les nôtres sont en train de gagner, ils n'ont pas besoin de ton aide. Reste ici, à les encourager de la voix et à les guider. Ne prends pas un risque supplémentaire. J'ai déjà tant tremblé pour toi. Mon amour, il y a tant de signes funestes.

– Qu'est-ce qui te trouble, femme ? Aurais-tu, comme Cassandre, entendu hennir les chevaux de Némésis ?

– Rien ne me trouble, sauf la peur de ton absence. Pourquoi faut-il que tu ailles encore à cet instant te livrer aux incertitudes du combat ?

– Parce qu'il y a la guerre. Et tu m'es témoin que je ne l'ai pas voulue. Mais puisqu'elle est là, comment pourrais-je m'y soustraire ?

– Je ne te demande pas de t'y soustraire ; mais ne multiplie pas les risques par plaisir.

Hector le bouclier de Troie

– Je veux seulement que cela finisse le plus vite possible.

De la plaine, on entend monter une formidable clameur : l'élan des Troyens qui étaient presque à un jet de pierres des vaisseaux grecs paraît brisé. Devant eux, les Myrmidons d'Achille sont descendus des vaisseaux. Sans cris, sans précipitation, ils ont sauté sur le sable. Tous protégés par le casque à visière ajourée. Le bronze leur couvre tout le visage et les transforme en êtres fabuleux. Ils se forment en phalange, épaule contre épaule, les boucliers serrés les uns contre les autres, laissant juste passer les piques. Du haut des remparts, on voit qu'ils commencent à faire reculer les rangs des Troyens. Et puis, à leur tour, entre les phalanges, les chars de combat se déploient : l'un d'eux couvert de plaques d'argent est plus haut et plus rapide que les autres et les deux chevaux qui le mènent sont plus grands que ceux de tous les autres attelages.

– C'est le char d'Achille, murmure Hector, ce sont ses chevaux, c'est son écuyer, le plus habile de tous.

Dans la plaine, Automédon, l'écuyer, d'un geste précis a arrêté les chevaux et le combattant du char a sauté à terre. Il a des couvre-chevilles d'argent et une cuirasse décorée qui brille à la lumière. Sur son épaule une épée de bronze à clous d'argent. Il a deux lances dans la main et son casque est recouvert de feuilles d'or : dans la lumière sa tête brille comme un soleil.

– Achille. Achille est venu au combat, ce sont ses armes, il n'y a pas de doute.

C'est comme un feu qui commence à ravager les rangs troyens, les lances de frêne et l'épée de bronze percent, taillent, tranchent et les cohortes troyennes refluent, reculent, sont près de se débander.

– Cette fois, je dois y aller. Puisque Achille est là, ce sera le combat décisif : tout à l'heure un de nous deux sera mort et l'autre sera vainqueur.

– Tout à l'heure, un de vous deux sera mort, et tu seras vaincu, dit Cassandre, plus mystérieuse que jamais.

– Comment serais-je vaincu si je le tue ?

– Les chevaux de Némésis, mon frère, les chevaux de Némésis : regarde comme le soleil violent sur ce sable clair transforme la plaine en une étendue semblable à la neige.

– Peu m'importe la neige… et que les chevaux de Némésis ne s'approchent pas trop près car je saurai bien leur mettre le licou.

Et Hector boucle son ceinturon, prend ses armes et dévale vers la bataille.

Il est temps qu'il intervienne car dans les rangs troyens, la vue des armes d'Achille a semé l'épouvante. Le briseur de têtes est vraiment effrayant ; Hector est d'abord pris dans la fuite générale, puis il se reprend et fait face. Son écuyer Kébrion est son demi-frère et c'est depuis très longtemps qu'il conduit les chevaux d'Hector. Les deux hommes n'ont même pas besoin de se parler pour se comprendre. Le char d'Hector fait voler la poussière mais avant qu'Hector ait eu le temps de sauter à terre le héros grec au casque d'or qui avait ramassé une pierre pointue a frappé Kébrion entre les deux yeux, lui ouvrant le crâne. L'écuyer tombe la tête la première, les rênes encore à la main. Le Grec raille :

– Comme il saute bien de son char ! Mais il a dû se prendre les pieds dans les rênes car il est mal tombé.

Hector, plein de fureur, est à terre et tous les deux se disputent le corps de Kébrion, l'un pour le dépouiller de ses armes, l'autre pour pouvoir lui rendre ensuite les honneurs funèbres. Hector tire la tête de Kébrion et l'autre ses pieds. Les guerriers des deux côtés se mettent de la partie et dans une échauffourée forcenée ce ne sont que cris, rage et hurlements. Les hommes sont trop enchevêtrés pour se frapper de la lance ou même de l'épée et c'est à coups de poings et à coups de pierres qu'ils se disputent le cadavre de Kébrion. Dans un dernier élan, les Troyens finissent par l'emporter.

Celui qu'Hector prend toujours pour Achille se précipite contre les rangs troyens, une fois, deux fois, trois fois ; à chaque fois des hommes tombent. Mais le rang troyen ne se désunit pas. Quand, une quatrième fois, il se précipite encore en poussant un long hurlement, Hector qui a mis un genou en terre réussit à passer sa lance sous le bouclier de l'assaillant et à le percer au bas du flanc, là où la cuirasse ne couvre plus le corps. L'autre tombe à genoux lâchant son bouclier et sa pique. À deux mains, il retire la lance plantée dans son ventre et son sang coule en abondance sur le sable. Il lève vers le soleil sa tête toujours masquée du casque à visière. D'un coup droit, Hector lui plante son épée dans la gorge. Le combat est fini.

– J'ai vaincu. Il est mort le chef des Myrmidons, l'invincible Achille, s'écrie Hector. Fuyez Grecs, vous n'avez plus personne pour vous défendre. Et moi j'emporterai les armes fameuses d'Achille au pied léger.

Ce disant, il ôte le casque du cadavre. Mais sous la visière ce ne sont pas les longues boucles blondes d'Achille, ses joues imberbes et ses yeux clairs.

– Qui est celui-là qui porte les armes d'Achille et qui n'est pas Achille ?

Idoménée, roi de Crète, qui depuis le début se bat vaillamment avec les Grecs, s'avance et répond à Hector :

– Celui que tu as tué, c'est Patrocle, l'ami d'Achille, son compagnon, son bien-aimé. Ce faisant, tu as décidé ta propre mort car la colère d'Achille te poursuivra jusqu'aux profondeurs infernales s'il le faut. Et maintenant, laisse-nous emmener son corps pour que nous lui rendions honneur.

Hector le bouclier de Troie

Pendant que les Grecs emportent le corps de Patrocle, Hector regagne sa ville, le corps épuisé par le combat et l'esprit obscurci. « J'ai vaincu Achille, et ce n'était pas Achille. Tout cela pour qu'Achille lui-même vienne se battre ? Les dieux ont décidément trop de ruses. »

CHAPITRE 9
L'OFFRANDE FAITE
À PATROCLE

Dans la plaine, non loin des vaisseaux, les Myrmidons construisent un gigantesque bûcher funéraire pour Patrocle, comme l'a ordonné Achille. L'attachement des deux jeunes gens était unique, la douleur d'Achille est sans limite. Les funérailles* de Patrocle doivent être démesurées. L'amoncellement de chêne et d'olivier recouvert de la graisse des bœufs sacrifiés, d'huile et de miel est presque aussi haut que les remparts de Troie. Au sommet, ils ont placé le corps de Patrocle, légèrement incliné, face à la cité : il semble qu'il surveille ainsi la plaine, lieu des combats, et l'entrée de la ville.

Du palais de Priam, on voit distinctement cette colline destinée à s'embraser. Le vieux roi fixe la pyramide de bois autour de laquelle commencent à courir les torches de résine, comme si elle était l'image de sa ville livrée aux flammes. Hécube à ses côtés paraît écrasée :

— Malheureux prince de Troie, qu'as-tu fait le jour où tu m'as épousée. Regarde, c'est mon cauchemar qui va s'accomplir. Le feu, le feu va prendre, il va gagner la plaine et nous dévorer tous.

— La plaine est de sable et le feu n'y passera pas. Quant aux Grecs, Hector est encore là pour nous protéger.

— Je voudrais tant que tu aies raison.

— Viens, tenons-nous à l'intérieur pour ne pas obscurcir le raisonnement des guerriers. Et fais taire ces servantes qui pleurent comme si nous étions déjà morts.

Sur le bûcher, Achille a jeté les quatre chevaux préférés de Patrocle et deux de ses grands chiens. Il a de ses mains égorgé douze jeunes Troyens faits prisonniers dans les combats, pour asperger de sang les offrandes et les Myrmidons assemblés ; puis les douze corps ont été livrés au bûcher. Alors, dans un hurlement farouche ininterrompu, il a, courant autour du tas funèbre, mis le feu d'endroit en endroit. Les flammes s'élèvent et la chaleur fait reculer les Myrmidons.

Achille seul, insensible à la douleur physique, contemple encore un instant le corps de Patrocle magnifié par la clarté.

Quand le bûcher n'est plus qu'un brasier immense où l'on ne distingue plus aucune forme, Achille prend les armes nouvelles que sa mère divine a fait fabriquer pour lui et saute dans son char, derrière son écuyer Automédon. Le char fonce vers les murs de Troie.

Des remparts, nul ne peut manquer le massacre qu'Achille est en train de faire parmi les rares Troyens restés à défendre les portes Scées. On dirait que sa fureur le rend invulnérable aux coups. Il manie comme un fétu la lourde lance de bronze qu'aucun autre guerrier ne pourrait manœuvrer aisément. Il ne se protège même pas de son bouclier, trop occupé à manier le glaive de sa main libre.

Hector observe cela et dit à son frère Déiphobos :

– Suis-moi. À nous deux, nous allons bien en venir à bout.

Hélène intervient :

– Laissez-moi sortir de la ville puisque c'est moi qu'ils sont venus chercher. Je ne veux pas que tu meures, Hector. Tu pouvais me rejeter ; or tu m'as accueillie. Aujourd'hui c'est à moi de te rendre la pareille. Je vais sortir et me livrer. Et tout sera dit.

– Malheureuse, tu ne vois pas dans quel état de fureur est Achille. Il ne va même pas te reconnaître et, à peine

Hector le bouclier de Troie

auras-tu fait un pas dehors, qu'il aura tranché le fil de ta vie. Que lui importe ta présence ici ou ailleurs ! Il est là pour venger Patrocle. Le sort de Troie ou d'Hélène est le dernier de ses soucis. C'est moi qu'il veut pour offrir ma mort aux mânes[1] de son ami.

– Laisse-moi le tuer d'une flèche acérée, dit Pâris, l'archer dont les traits manquent rarement leur cible.

– Non, mon frère, on ne tue pas Achille de loin, en ayant peur d'affronter le combat face à face. Je serais déshonoré de voir son corps dans la poussière sans avoir risqué le glaive contre lui. On n'abat pas Achille comme on se débarrasserait d'un renard qu'on n'ose pas approcher. Contre Achille, on combat loyalement.

– Et le combattre à deux, c'est loyal ?

– Achille tout seul vaut bien dix guerriers. Et il n'est pas seul, il a Automédon avec lui, sans compter des chevaux capables eux-mêmes de battre bien des guerriers éprouvés. Alors, même si nous sommes deux, ce sera encore lui qui aura l'avantage.

– Eh bien ! Allons-y plus nombreux.

– Tu ne comprends pas que c'est moi qu'il cherche maintenant. Je ne peux me dérober. Je vais le combattre en face.

– Et de près bien sûr... Pour être plus certain de mourir... Est-ce si lâche de vouloir vivre ? Ne dis pas que tu ne veux pas vivre...

1. *Esprit des morts.*

– Je ne dis rien, car si je disais cela je mentirais et le tremblement de mes bras suffit à le montrer. Mais il faut vivre d'une certaine façon. Pas à n'importe quel prix. Vivre de telle manière qu'on n'ait pas honte de soi. Tu as bien raison, je n'ai pas envie de mourir. Mais j'ai encore moins envie de mal vivre. Alors oui, il va falloir se battre contre Achille et je vais y mettre tout mon cœur pour que ce soit lui qui roule à terre et pas moi. J'ai peur mais j'irai quand même, car sinon je mourrai de honte.

Andromaque ne peut s'empêcher de crier :

– Tu ne parles donc que de mourir ? Et nous, que va-t-il advenir de notre vie, est-ce que tu t'en soucies ? Ton fils n'entendra pas la voix de son père pour lui apprendre les premiers gestes du combat ; il n'aura pas de bras puissants pour le soulever et le mettre sur sa première monture. Il n'aura surtout personne pour s'interposer entre lui et les glaives qui planent sur sa tête. Car ne crois pas Hector, s'ils te tuent, qu'ils le laisseront vivre…

– Tu seras auprès de lui pour le protéger.

– … et moi j'en mourrai de chagrin.

Hector serre Andromaque dans ses bras ; presque à l'écraser.

– Je ne peux rien ajouter à tes paroles. Tu dis vrai sans doute, mais le destin n'est écrit nulle part. Oui, Achille est très fort, mais il n'est pas inéluctable qu'il me tue. Je peux aussi le tuer. Je ne me soumettrai pas, ni au destin, ni à Achille. En tout cas je ne me soumettrai pas sans combattre. J'ai vaincu déjà beaucoup d'adversaires renommés dans le passé. Vous savez tous que je n'ai pas voulu cette guerre. Mais on ne peut pas fuir comme un lâche. Et puis, si les dieux ont déjà écrit l'histoire, alors fuir ne sert à rien, sinon à ajouter le déshonneur à la défaite.

– Je t'aime.

– Ne pleure pas. Tu vas m'aimer pendant dix mille ans.

– Et moi que ferai-je pendant ces dix mille ans ? demande Cassandre.

– Comme avant, tu veilleras sur mes nuits et tu me raconteras des songes plus effrayants les uns que les autres. Et je te bercerai pour que tu les oublies.

Le vent a tourné et chasse maintenant vers la ville la fumée et la chaleur du bûcher de Patrocle. Le crissement des souches embrasées ressemble à une mélopée infernale.

– Patrocle m'appelle.

Dans les tourbillons de fumée noirâtre, Hector part au combat, Déiphobos marchant dans son ombre. Du moins le croit-il. Car à peine ont-ils franchi les portes Scées que le tourbillon des guerriers troyens qui s'enfuient devant la fureur d'Achille les enveloppe. Hector continue à marcher de l'avant, cependant que Déiphobos est entraîné à l'intérieur de la cité avec les fuyards qui barricadent les portes. La fumée s'est faite plus épaisse et des cendres brûlantes tombent lentement du ciel. Quand la stature d'Hector se dégage enfin de la nuée, Achille face à lui pousse un long hurlement et se précipite avec une telle fureur qu'Hector recule d'un pas puis de deux, puis se met à fuir. Achille au pied léger se lance à sa poursuite et autour de la ville c'est une chasse mortelle qui se déroule. Le long des figuiers, sur la route des chars, jusqu'aux deux sources du Scamandre[1], la course funeste s'accélère dans des cris de guerre, sans que le poursuivi ne parvienne à s'échapper ni que le poursuivant parvienne à le rattraper. Une fois, deux fois, trois fois, ils ont ainsi fait le tour des remparts. Achille a interdit aux soldats grecs de s'en prendre à Hector, il veut le combat pour lui seul. Hector ne peut compter sur l'aide des archers troyens massés sur les remparts, aveuglés qu'ils sont par la fumée du bûcher de Patrocle. Quand enfin il croit distinguer émergeant de la nuée l'ombre de Déiphobos, il s'arrête et s'adresse à Achille :

– Fils de Pélée, ce n'est pas sans raison qu'on t'appelle Achille au pied léger. Il ne sert donc à rien de courir et nous allons nous battre. L'un de nous deux va mourir…

---

1. *Le Scamandre, fleuve de la plaine de Troie, a deux sources : l'une chaude et l'autre glacée.*

Achille l'interrompt, ricanant :

– La belle affaire ! Bien sûr que l'un de nous deux va mourir. Je vais faire en sorte que ce soit toi, Troyen maudit, meurtrier de Patrocle.

Hector tente encore de dire :

– Avant de nous battre…

Mais Achille ne le laisse pas aller plus loin :

– Voyons cela. Le furieux Hector va me proposer un marché. Peut-être veut-il rendre Hélène ?

– Est-ce que ce n'est pas pour elle que tu es venu faire la guerre ? Est-ce que tu n'étais pas parmi ses prétendants jadis ?

– J'étais parmi ses prétendants comme tous les autres princes, pour ne pas faire d'affront à son père. Mais qu'avais-je à faire d'Hélène ? Rien puisque j'avais Patrocle pour donner couleur à ma vie. Hélène ne m'importe pas.

– Tu es quand même venu en guerre ?

– Je voulais si peu y venir que je suis allé me cacher à Scyros, déguisé en femme, pour échapper à cet embrigadement, jusqu'à ce que ce rusé Ulysse me démasque. Peux-tu comprendre qu'Achille n'est pas fait pour être sous les ordres de ce fourbe d'Agamemnon ?

Hector le reprend en raillant :

– Achille est si peu sous les ordres d'Agamemnon qu'il est sur le point d'essayer de tuer le chef des Troyens.

– Je ne vais pas tuer le chef des Troyens. Je vais tuer

le meurtrier de Patrocle. As-tu le cœur si dur, prince de guerre, que tu ne comprennes pas pourquoi tu vas mourir ? Patrocle, c'était la moitié de moi-même. En le tuant tu m'as détruit. Oh ! Pas physiquement, ne te rassure pas ; mon bras est toujours aussi vaillant et mon corps est invulnérable. Mais mon cœur est détruit. Tu as meurtri ce qui restait en moi de sensible. Patrocle et moi, c'était la fusion de nos similitudes et de nos différences. Il commençait une musique et les paroles me venaient pour en faire une chanson. J'entamais une phrase, il la finissait. Il faisait un cauchemar, je me réveillais. Nous vivions l'un pour l'autre, l'un par l'autre. Il était ma part de lumière et j'étais sa part d'ombre. Il était ma part de douceur et j'étais sa brutalité. Il était ma part de vie et tu m'en as privé. Nous avions un secret lui et moi. Nous avions décidé qu'il était préférable de mourir jeunes mais beaux, plutôt que vieux mais décrépits. Notre résolution était qu'au premier signe de vieillissement, au premier fléchissement du bras, à la première marque sur le visage, nous boirions ensemble un de ces breuvages qu'on tire des plantes funestes et que, allongés côte à côte la main dans la main, nous attendrions le sommeil définitif. Par ton geste tu l'as privé de ma présence. Tu vas mourir pour cela…

La voix d'Achille se brise dans un hurlement :

– … car je l'aimais.

Hector laisse le cri se prolonger puis reprend :

– Je n'ai pas tué celui que tu aimais, j'ai tué celui qui allait envahir ma ville. Soit, il n'y a pas d'autre issue que le combat. Mais prenons les dieux à témoin au moins pour une chose : si Zeus me donne de t'ôter la vie, je promets de ne pas mutiler ton corps et je m'engage, après t'avoir dépouillé de tes armes, à rendre ton cadavre aux Achéens. Fais de même.

– Hector meurtrier de mon ami, il n'y a pas de serment possible entre nous, pas d'engagement. Rien que la haine. Ou plutôt, je vais te faire une promesse cruelle : si je te tue, j'attacherai ton cadavre derrière mon char et le chemin que tu viens de faire sur tes jambes autour de la ville, tu le feras gisant dans la poussière, jusqu'à ce que personne ne puisse plus te reconnaître et qu'il ne reste plus de toi que des débris livrés aux chiens. Et maintenant prends ta pique et bats-toi ou meurs à l'instant.

Ce disant, Achille lance de toute sa force sa longue pique de bronze. Hector se baissant évite la lance qui se fiche en terre derrière lui. À son tour, visant soigneusement, il lance sa pique qui frappe le bouclier d'Achille en son plein milieu, mais sans le transpercer, ni même se ficher dedans. La lance de frêne rebondit sur le sable. Hector déçu appelle à grands cris Déiphobos pour qu'il lui apporte une autre lance. Mais regardant en tous sens autour de lui, dans les nuées qui se dissipent, il ne voit personne. Achille moque sa méprise :

– Tu cherches l'ombre de ton frère ? Pauvre mortel, tu n'as donc pas compris que les dieux te leurraient avec des simulacres ?

Hector voit qu'Achille a de nouveau une pique en main.

– Tu as sans doute raison, beau parleur. Les dieux m'ont condamné, mais il ne sera pas dit que je me serai soumis sans combattre.

Tirant son glaive, Hector se précipite sur Achille, se protégeant la poitrine de son bouclier. Achille bien campé sur ses jambes attend le choc et quand Hector est à portée, visant l'espace non protégé entre le casque et la cuirasse, il lui plante sa pique dans la gorge. Hector s'abat dans la poussière.

– Voilà qui est fait, meurs donc, insensé ! Tu vas faire le festin des chiens et des corbeaux.

Hector trouve encore la force de supplier :

– Je t'implore par ton âme et tes parents, ne laisse pas les chiens me dévorer. Rends mon corps aux miens, que mon bûcher ne soit pas vide.

Achille emporté par la fureur rugit :

– Ne supplie pas par mon âme ni par mes parents, chien. Ce que j'ai dit, je vais le faire.

Hector, expirant, le maudit :

– Il n'y a donc rien d'humain qui reste dans ton cœur.

Prends garde ! À cause de cela, les dieux ne te laisseront même pas franchir les portes Scées et ton sang se perdra dans le sable de la plaine troyenne.

Le destin d'Achille est ainsi prononcé. Le vainqueur ne survivra guère au vaincu.

Autour de Troie, dans la fumée et les flammes du bûcher de Patrocle, Achille, comme un forcené, tourne de toute la vitesse de ses chevaux, traînant derrière son char le corps défiguré d'Hector. Et aucun guerrier, aucun Myrmidon n'ose se mettre en travers de sa course démentielle.

Sur le rempart, Andromaque et Cassandre sont enlacées. La sœur dit à l'épouse :

– Viens, allons apprendre à mourir nous aussi.

Pâris, l'arc à la main, attend qu'Achille s'arrête. Il a promis à Hécube qu'il tuerait Achille. Il le fera. Il doit bien ça à sa mère.

Le sable de Troie boira le sang d'Achille après celui d'Hector. Et, lame après lame, les flots patineront longuement la grève funeste, jusqu'à ce qu'il soit impossible de distinguer qui, du Troyen ou du Grec, a laissé ces marques rouges au pied des ruines de Troie.

Généalogie d'Hector

Andromaque + Hector

Astyanax

Hélénos   Cassand

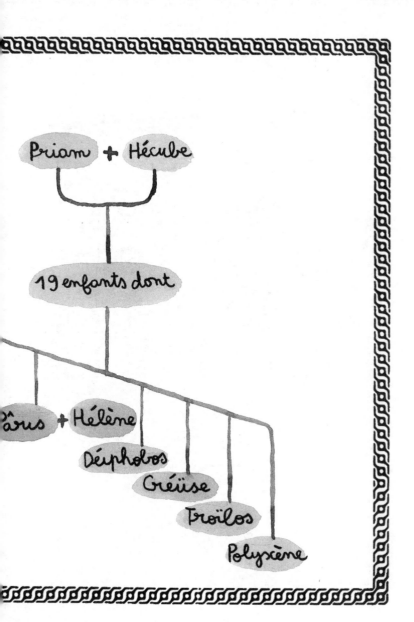

Hector le bouclier de Troie

- Le monde d'Hector -

POUR MIEUX CONNAÎTRE

HECTOR

L'ORIGINE D'HECTOR

Le personnage d'Hector a une origine **légendaire**, comme la guerre de Troie, dont il est l'un des principaux acteurs. Cette guerre, même si elle a pu être inspirée par le souvenir de faits réels, n'est aujourd'hui plus considérée comme un fait **historique**, c'est une création de la littérature grecque ancienne.

Il en est de même d'Hector. Comment expliquer autrement qu'un prince troyen porte un nom parfaitement grec ? Hector, c'est « celui qui tient fortement », épithète attestée pour Zeus.

▦ Hector, héros épique...

Hector nous est connu par l'une des principales épopées* grecques, et l'une des plus brillantes : l'*Iliade* d'<u>Homère</u> (VIIIe s. av. J.-C.).

L'*Iliade* a pour sujet « la colère d'Achille » pendant la dixième et dernière année de la guerre de Troie. Hector

Hector le bouclier de Troie

y occupe une place centrale, puisqu'il est le chef incontesté du camp troyen et son meilleur combattant. C'est « grâce » à lui qu'Achille, qui avait décidé de se retirer des combats, revient pour venger la mort de Patrocle. Mais le héros grec, en s'acharnant sur le cadavre de son ennemi, provoque la colère des dieux, qui interviennent pour qu'il rende le corps à Priam.

Étonnamment, c'est avec les funérailles d'Hector que se termine l'*Iliade*, comme si l'intérêt s'était déplacé du camp grec à la cité troyenne, d'Achille à Hector.

▦ ... mais pas tragique ?

Hector pourrait être un parfait héros de tragédie* : il lutte contre son destin, clairement annoncé dès avant la guerre ; il est inéluctablement écrasé par ce même destin, qui se joue de lui, lui laissant même espérer la victoire.

Pourtant, il ne figure que dans une seule tragédie, et encore, une tragédie mineure, *Rhésos*, dont l'auteur pourrait être (on n'en est pas sûr) <u>Euripide</u> (484-406 av. J.-C.). Cette tragédie n'ajoute rien au portrait d'Hector fixé par l'*Iliade*.

Certes, de nombreuses œuvres ont disparu au cours des siècles, mais on peut surtout imaginer que le personnage est déjà si riche et si profond dans l'épopée que la concurrence était difficile. Une autre raison peut être avancée : le plus souvent, le héros tragique « mérite » son destin par son orgueil ou son aveuglement. Rien de tel pour Hector.

LES VOYAGES D'HECTOR À TRAVERS LES ARTS

Héros de la guerre de Troie, Hector apparaît dans toutes les œuvres qui ont été composées sur ce sujet (sauf celles qui n'évoquent que la prise de Troie, après la mort du héros), du Moyen Âge à nos jours, de l'Europe à l'Amérique.

🔡 Littérature

- *Le Roman de Troie* (XIIe s.), poème épique de <u>Benoît de Sainte-Maure</u>,
- *La Troade* (1579), tragédie de Robert Garnier,
- *La Guerre de Troie n'aura pas lieu* (1935), merveilleuse pièce de <u>Jean Giraudoux</u>,
- *La Trahison des dieux* (1987), roman de l'Américaine <u>Marion Zimmer Bradley</u>.

🔡 Cinéma

- *Hélène de Troie* (1954) de <u>Robert Wise</u>,
- *La Guerre de Troie* (1961) de <u>Giorgio Ferroni</u>,
- *Troie* (2004) de <u>Wolfgang Petersen</u>.

🔡 Musique

- *Le Roi Priam* (1980), opéra de <u>Michaël Tipett</u>.

Hector le bouclier de Troie

▦ Arts plastiques

De l'Antiquité grecque (dès les VIIᵉ-VIᵉ s. av. J.-C.) à nos jours, innombrables sont les peintures de vases, bas-reliefs de sarcophages, tableaux, statues, qui représentent Hector. Rien d'étonnant à cela : suivant la scène où il figure, il est tour à tour héroïque, émouvant, pathétique ou tragique.

Les moments illustrés par les peintres de vases grecs sont essentiellement :

- *les adieux à Andromaque ; le combat contre Achille ; Achille traînant le cadavre derrière son char, et les funérailles.*

Les modernes ont repris ces sujets. Citons,

- pour *les adieux*, le tableau d'A. Coypel (1661-1722) à Tours ;

- pour *le combat*, celui de Rubens (1577-1640) à Rotterdam ;

- et, pour *les funérailles*, celui de David (1748-1825) au Louvre à Paris.

HECTOR : UN ENNEMI OU UN MODÈLE ?

Nous venons de le voir, Hector est un sujet de choix pour les artistes. Ils peuvent, à travers lui, exprimer les sentiments les plus nobles et les plus émouvants. Et c'est vrai, Hector, dès l'*Iliade*, semble paré de toutes les qualités.

Dans une épopée héroïque, où priment les valeurs

guerrières, Hector se distingue par sa force et son courage. De plus, c'est lui le capitaine qui mène les troupes. Enfin, il est loyal, et, au contraire d'Achille (le seul à pouvoir lui être comparé) capable de compassion pour ses ennemis. Et s'il lui arrive d'avoir peur et de fuir, il sait se ressaisir et faire face, alors même qu'il a compris que sa mort est proche. N'est-ce pas le comble du courage ?

Bref, un **héros**. Mais, contrairement à Achille, qui est un héros au sens originel du terme, c'est-à-dire qu'il est né d'une mère déesse qui intervient en sa faveur autant qu'elle le peut, Hector est né de parents bien humains. D'autre part, contrairement à tous les Grecs qui assiègent Troie, Hector est représenté dans sa ville, entouré de tout un peuple, dont il a la charge et la responsabilité. Entouré aussi de sa famille, d'une famille très complète : parents, femme, enfant, frères et sœurs. C'est donc le seul à être montré parfaitement **humain**. Et quoi de plus émouvant qu'un guerrier qui abandonne toute rudesse devant son épouse, devant son fils, devant Cassandre ou Hélène ?

Mais le plus étonnant de tout cela, ce n'est pas qu'Hector soit une création littéraire si réussie, seul personnage à réunir toutes ces qualités. Le plus étonnant, c'est qu'Hector, ce guerrier si parfait, si émouvant, si humain, soit un **ennemi** !

Hector le bouclier de Troie

Dans la plupart des épopées que nous connaissons par ailleurs, l'ennemi est forcément inférieur, en force ou en loyauté. La sympathie du lecteur va nécessairement à ceux de son camp. Pensons à la *Chanson de Roland* (xiᵉ s.), dans laquelle l'ennemi est l'Infidèle sarrasin, aidé par un traître. Les seuls vrais héros sont du côté franc, ce sont Roland, Olivier et leurs alliés. On retrouve les mêmes caractéristiques de nos jours dans *Superman*, dont les ennemis sont toujours des « méchants » !

Comment interpréter cette anomalie ?

Peut-être en la mettant en relation avec le dernier chant (nom donné à chaque « chapitre » de l'immense poème) de l'*Iliade*. Au début de ce chant, Priam, poussé par les dieux, va racheter à Achille le corps de son fils, pour lui offrir enfin de dignes funérailles. La confrontation entre ces deux hommes, qu'on imagine terrible, est extraordinairement émouvante : deux hommes, pareillement touchés par le deuil, se rencontrent, se regardent, et pendant quelques heures, oublient leur hostilité pour ne plus se souvenir que de leur commune condition humaine, humanité pareillement souffrante, communauté qui abolit les frontières et les différences...

À la suite de Jacqueline de Romilly (*Hector*, 1997), on ne peut s'empêcher de voir là une des grandes **leçons** de l'*Iliade*, et de la civilisation grecque encore à ses débuts : Troyens et Grecs, ennemis si semblables, appartiennent à une même humanité. À laquelle la guerre n'apporte que souffrances et malheurs. C'est Hector, l'ennemi, qui en est le plus conscient.

Peut-on parler de **mythe** à propos d'Hector ? Le propre d'un mythe, c'est de poser une question à laquelle toutes les époques n'apportent pas exactement la même réponse. Or « l'humanité » de notre personnage n'est pas toujours comprise de la même façon. Au Moyen Âge, par exemple, il est difficile d'imaginer un guerrier qui comprend les craintes de son épouse, et les écoute. Plus près de nous, au contraire, J. Giraudoux accentue le caractère « pacifiste » d'Hector. Il y a donc bien un mythe d'Hector, le guerrier qui concilie héroïsme et humanité.

Hector est et restera ce personnage lumineux qui agit pour, et non pas contre. Pour sauver la vie des siens, de sa cité, sans jamais baisser les bras, au mépris de sa propre vie. L'homme héros par excellence. •

Lexique

Aphrodite : née d'Ouranos (le Ciel) et de l'écume de la mer, elle est déesse de la beauté et de l'amour. Pâris l'ayant déclarée « la plus belle » (c'est le *Jugement de Pâris*), elle défend les Troyens. Mariée à Héphaïstos, le dieu forgeron boiteux, elle a de nombreux amants, parmi lesquels le Troyen Anchise dont elle a un fils, Énée (fondateur légendaire de Rome).

Apollon : fils de Zeus et de Lèto, dieu à l'arc souvent confondu avec Phœbos, le soleil. Dieu de la divination (on vient le consulter dans de nombreux sanctuaires, dont le principal est à Delphes), il est aussi celui de la musique et des arts. Il se sert de son arc pour envoyer la mort (les épidémies), mais c'est aussi un dieu guérisseur. Il protège et défend les Troyens contre les Grecs. Très beau, il tombe souvent amoureux, de mortelles ou de nymphes (déesses mineures), mais n'est pas toujours payé de retour. Dans ce cas, il peut se venger cruellement, comme il le fait avec Cassandre.

Artémis : sœur jumelle d'Apollon, armée d'un arc comme lui, elle est déesse de la chasse, souvent cruelle, et déesse de la lune. Déesse vierge, elle protège les jeunes filles jusqu'au mariage.

Athéna : fille de Zeus, sortie tout armée de sa tête, elle est sa préférée. Déesse de la guerre, elle est aussi déesse de la raison et des techniques. Furieuse d'avoir été dédaignée par Pâris lors de son *Jugement*, elle est aux côtés des Grecs pendant la guerre de Troie.

Delphes : le plus célèbre et le plus fréquenté des sanctuaires d'Apollon, dieu de la divination. Particuliers et ambassadeurs officiels venaient de toute la Grèce, et même plus tard de tout l'Empire romain, pour interroger la Pythie, prêtresse qui rendait ses oracles. On voit encore aujourd'hui, au musée, l'« omphalos », grosse pierre représentant le *nombril* (le centre) de la terre, autour duquel était construit le temple d'Apollon.

Devin : prêtre qui possède l'art de connaître l'avenir, la volonté des dieux. Le plus souvent, il interprète les signes envoyés par les dieux, soit dans les entrailles des animaux sacrifiés, soit dans le vol des oiseaux. Mais certains sont directement inspirés par un dieu (le plus souvent Apollon), telle Cassandre, ou la Pythie de Delphes.

Enfers : séjour des morts (il n'y a pas, chez les anciens Grecs, d'opposition du type Paradis/Enfer). On l'appelle aussi : *chez Hadès* ou *royaume d'Hadès*, d'après le nom du dieu des morts. Contrairement à ce qui se passe selon d'autres religions, les morts n'ont plus vraiment d'existence, ce ne sont plus que de vagues fantômes. Pour les hommes qui aspirent à une vie après la mort, il n'est qu'un moyen : survivre dans la mémoire des générations suivantes, grâce aux poèmes et aux épopées qui chanteront leurs exploits et leurs actions héroïques. C'est la fameuse « gloire » si chère au cœur d'Achille... et d'Hector.

Épopée : très long poème qui retrace les aventures de héros aux qualités surhumaines (les *Superman* de l'époque), confrontés à des adversaires et à des dangers tout aussi inouïs. Ces poèmes, avant d'être fixés par l'écriture, étaient récités lors des fêtes, des cérémonies...

Érinyes : nées du sang d'Ouranos tombant sur la Terre, antiques déesses de la vengeance. Elles sont trois, dont la plus connue est *Mégère*. Zeus, fils de Cronos, n'a organisé l'univers que bien après leur naissance. Il n'a donc aucun pouvoir sur elles. Pour les amadouer, on les nomme les *Euménides* (les « Bienveillantes »).

Funérailles : elles sont nécessaires au mort pour parvenir au royaume d'Hadès et trouver ainsi le repos. À l'époque ancienne, les corps sont brûlés sur un bûcher, et les ossements sont enterrés. C'est une cérémonie religieuse, qui s'accompagne donc de tout un rituel (cheveux coupés, lamentations, sacrifices...) souvent interprété par des pleureuses, des musiciens, des danseurs. Enfin, elles se closent avec des concours gymniques, les *Jeux*.

Gorgones : elles sont trois monstres à la chevelure de serpents, au regard si perçant qu'il change en pierre le malheureux

Hector le bouclier de Troie

qui le croise. Seule *Méduse* est mortelle, et sera tuée par Persée. Sa tête sera fixée au bouclier d'Athéna.

Héra : sœur et épouse de Zeus, elle est la déesse protectrice du mariage et des femmes mariées. Elle est terriblement jalouse, et avec raison ! Elle poursuit rivales et ennemis d'une haine tenace. Ainsi des Troyens, quand elle s'est trouvée dédaignée par Pâris lors de son *Jugement*.

Héros : dans l'Antiquité, personnage dont l'un des parents est un dieu, l'autre un humain. Par la suite, personnage doué de qualités surhumaines, comme ceux de l'épopée. Ce n'est que plus tard que le héros est le personnage central d'un roman ou d'une tragédie.

Libation : offrande à un dieu de quelques gouttes de vin, de lait, d'huile ou d'eau miellée, qu'on versait à terre ou sur l'autel. Le vin restant était ensuite bu par les convives.

Némésis : divinité primitive (elle précède Zeus) de la Vengeance divine. Elle veille au respect de l'ordre divin, et s'abat sur les hommes qui, par excès de bonheur ou d'orgueil, pourraient s'égaler aux dieux.

Offrande : objet offert à un dieu sur son autel ou dans son temple pour se le concilier ou le remercier. Certaines offrandes sont fixées par le rite (fruits, farine, gâteaux…), d'autres dépendent du donateur, le plus souvent des objets précieux. On fait également des offrandes aux morts pour les apaiser.

Olympe : plus haut mont de Grèce (2 917 m), au sommet souvent caché par les nuages. C'est là que résident les dieux de la dernière génération, ou « Olympiens », dont le roi – Zeus – a imposé à l'univers son ordre actuel.

Oracle : réponse donnée par un dieu à ceux qui le consultent, généralement dans son sanctuaire ; désigne aussi ce dieu, son interprète ou le sanctuaire où il rend ses oracles.

Sacrifice [sanglant] : type particulier d'offrande, puisqu'il s'agit d'offrir au dieu un ou des animaux. L'animal, une fois égorgé, dépecé et découpé, est partagé entre les dieux (graisse et os brûlés), et les hommes (viande bouillie et grillée). Avant cela, un prêtre examine ses entrailles pour y lire l'avenir ou la volonté des dieux. L'animal offert dépend du dieu (animal noir pour Hadès, dieu des Enfers, par exemple), ainsi que de la fortune de celui qui offre le sacrifice ! Les particuliers pauvres « sacrifiaient » des figurines en forme d'animal…

Tragédie : forme théâtrale née à Athènes au VIe s. avant J.-C. et qui s'épanouit au Ve. Elle était représentée lors de grandes fêtes religieuses. Chaque pièce mettait en scène un épisode de la vie d'un héros, menacé par des forces supérieures, dieux ou destin. Pendant toute la pièce, ce personnage cherche à échapper à cette menace, en vain. Rien n'apaise les dieux : le héros est rattrapé et écrasé par son destin.

Zeus : roi des dieux, dieu du ciel et de la foudre. Il est le garant des lois et des serments, et protège suppliants, étrangers et mendiants. Dieu volage, il ne peut résister au charme féminin, chez les mortelles comme chez les déesses. Il est frère ou père de presque tous les dieux Olympiens et père de nombreux héros. Uni à Léda (sous la forme d'un cygne), il est père d'Hélène et de Pollux, nés en même temps que Clytemnestre et Castor, conçus, eux, par Tyndare, l'époux de Léda.

––•––

L'auteur,

HECTOR HUGO

Pour naître, Hector Hugo a profité d'une éclaircie entre la fin de la Seconde Guerre mondiale et le début de la guerre d'Indochine. Il a passé sa jeunesse face à la mer sur les falaises du pays de Caux, de Fécamp au Havre. Dès cinq ans, il a montré son tempérament d'explorateur en entreprenant le périple tumultueux qui mène de l'école primaire au baccalauréat : douze ans d'aventures. Après quelques années plus calmes à l'Université, le démon des choses difficiles l'a repris et il est devenu enseignant... Il a plusieurs fois écrit sur la paix et la guerre. Tout au long de sa vie, il a aimé le mois de mai ; la mer ; la chanson ; Esméralda ; les drapeaux rouges, noirs et de toutes les couleurs vivantes derrière lesquels il a beaucoup marché ; rire ; pleurer ; lire ; chanter ; aimer. Bref : il fut animé des mêmes passions que toi, hypocrite lecteur...

Du même auteur :

Le Bûcher d'Héraclès, Éditions Nathan, collection "Histoires noires de la mythologie", 2006.

Thésée revenu des Enfers, Éditions Nathan, collection "Histoires noires de la mythologie", 2008.

La rage au cœur, Hachette roman jeunesse, 2002.

Lambada pour l'enfer, Éditions Syros, collection rat noir, 2002 (Prix du livre de l'été-jeunesse Metz, livre d'or des jeunes lecteurs Valenciennes).

Les travailleurs de la mort, Éditions Syros (collection souris noire), 2001.

Le petit napperon rouge, Éditions Syros, 1999 (Prix du livre jeunesse le plus drôle de l'année 2000, Beaugency).

Toute la vérité sur la disparition des dinosaures, Éditions Casterman, 1999.

Omar et Juliette, Éditions Syros, 1999.

Aubagne-la-galère, 2ᵉ édition, Éditions Syros.

Le dernier voyage du Mohican, Éditions Bertout, collection Chat noir, 1991.

Table des matières

Dans la même collection,
découvrez les premières pages de :

LES
CAUCHEMARS
DE CASSANDRE

CHAPITRE I
SECRETS

L es enfants de Priam ont sauté à bas de leurs lits dès le lever du jour, et préparé le pique-nique dans un silence de conspirateurs pour ne pas réveiller ceux qui dormaient encore. Puis ils ont quitté le palais de leur père et gagné l'enceinte de la ville. Ensuite, de bagarres en interminables parties de cache-cache, ils ont progressé comme des tortues, si bien que l'astre du jour est déjà haut dans le ciel lorsqu'ils jaillissent tous ensemble d'un petit bois de figuiers, telle une volée de moineaux poursuivie par un chat. D'un bout à l'autre de l'horizon, la mer clapote, tranquille, piquetée de milliers d'éclats de lumière.

– La voilà ! coasse Troïlos de sa voix d'adolescent qui mue.

– *La voilà* ! répète Déiphobe en imitant son frère. Quel bébé ! Tu avais peut-être peur qu'elle se soit évaporée pendant la nuit ?

Troïlos se précipite sur son aîné pour le bourrer de coups de poings. Mais avec ses bras musclés, habitués à retenir les chevaux emballés, Déiphobe a vite fait de mettre son cadet à genoux.

– Quelle plaie, ces garçons ! soupire Polyxène. Vous feriez mieux de vous taire et d'admirer le paysage. La mer n'a jamais été si bleue…

– Tu dis ça à chaque fois, ricane Déiphobe.

Hélénos le pousse du coude.

– Au lieu de nous disputer pour des bêtises, dit-il, conciliant, si on s'attaquait au pique-nique ?

– Excellente idée ! approuve Laodicé. Je me charge de la distribution !

Et la jeune fille plonge ses jolies mains dans les paniers d'osier pour en sortir fromages de chèvre crémeux, figues gonflées de soleil et succulentes grappes de raisin. Peut-être parce qu'elle est la plus jolie des filles du roi Priam, Laodicé a un heureux caractère. Comment être de mauvaise humeur lorsque tout le monde vous sourit ?

Ses frères, nettement moins pacifiques, se lancent dans des chamailleries sans fin, chacun prétendant avoir été lésé dans la distribution.

– Tu ne veux rien, Cassandre ? demande soudain

Laodicé en se tournant vers sa grande sœur.

– Laisse-la, chuchote Hélénos. Tu vois bien qu'elle est plongée dans ses pensées, elle mangera plus tard.

Hélénos connaît bien Cassandre, et pour cause : tous les deux sont jumeaux. Inséparables comme les doigts d'une main, ils ont bien davantage en commun que la finesse de leurs traits ou la profondeur un peu étrange de leur regard : il leur arrive fréquemment de partager les mêmes rêves. Aussi Hélénos sait-il qu'il est inutile, pour l'instant, de parler à Cassandre : elle n'entend plus le clapotement de l'eau, elle n'entend plus les voix de ses frères et sœurs, son corps est là mais son esprit s'est envolé dans une autre dimension.

Dressée face à la mer, ses cheveux sombres et lisses brillant au soleil comme le plumage d'un corbeau, elle regarde au loin et ses lèvres remuent doucement. Hélénos s'approche sans bruit en s'efforçant de ne pas attirer l'attention des autres.

– Ils reviennent, chuchote Cassandre d'un air terrifié. Ne vous avais-je pas averti, père ?

Hélénos pose sa main sur le bras de sa sœur.

– De qui parles-tu ? lui demande-t-il à mi-voix. Qui revient ?

Cassandre frissonne et tourne la tête vers son frère.

– J'ai dit quelque chose ? Je ne sais pas, je ne sais plus, j'ai dû encore rêver tout éveillée.

Elle suit docilement Hélénos, rejoint les autres et tend la main vers une grappe de raisin. Un à un, elle porte les grains à sa bouche et les avale machinalement. Ce pique-nique dont elle se faisait une fête ne lui procure plus aucun plaisir. Un voile noir a assombri ses pensées et éteint son rire. Mais aucun de ses frères et sœurs ne semble y prêter attention et, lorsqu'elle s'éloigne du groupe, personne ne s'en aperçoit, pas même Hélénos qui est en train d'apprendre à siffler à Polyxène.

Pensive, Cassandre se dirige lentement vers le bois de figuiers, les yeux fixés sur les cailloux qui roulent sous ses pas. Elle est à nouveau hantée par la question qui l'obsède. Est-elle bien la fille de ses parents, Priam, le roi des Troyens, et Hécube son épouse ? Est-elle bien la sœur jumelle d'Hélénos ? Même ce dernier, pourtant si proche, lui semble parfois aussi différent d'elle qu'un étranger. N'est-elle pas plutôt une enfant trouvée que le roi et la reine ont recueillie ?

C'est la seule explication, sûrement, à l'impression qu'elle a si souvent de ne pas être comme les autres. Voilà pourquoi, aussi, sa mère s'occupe moins d'elle que de ses autres enfants et la regarde parfois bizarrement, comme avec méfiance. Qu'elle soit la préférée du roi ne signifie rien : au contraire, sans doute s'efforce-t-il de lui donner encore plus de tendresse parce qu'elle est orpheline.

Et puis Cassandre a une autre preuve. Elle n'a jamais oublié ce qu'elle a entendu un jour, alors qu'elle n'était encore qu'une petite fille.

Elle venait de perdre sa première dent et avait aussitôt couru la montrer à sa mère qui se reposait dans sa chambre. Au moment de frapper à la porte, elle s'était arrêtée net. Sa mère et son père étaient lancés dans une conversation qui devait être grave, car ils parlaient à voix basse et les paroles de la reine étaient entrecoupées de soupirs.

Inquiète, la petite Cassandre avait collé son oreille contre la porte. Mais elle n'entendait que des mots épars car ses parents chuchotaient. Puis, soudain, la reine avait haussé la voix. Elle semblait bouleversée.

– Abandonner ainsi un bébé… Quelle indignité, pour des parents !

Cassandre avait eu affreusement mal au cœur, tout à coup, et elle avait dû courir très vite dans la cour pour vomir. Pas de doute, c'était d'elle que parlait Hécube ! Elle n'avait donc pas été recueillie parce que ses vrais parents étaient morts, mais parce qu'ils l'avaient abandonnée !

À plusieurs reprises elle avait voulu interroger le roi, mais le courage lui avait toujours manqué. Elle était convaincue que, à partir du moment où elle connaîtrait la vérité, plus rien ne serait comme avant.

Mais elle était presque une adulte, maintenant, il était temps de regarder la réalité en face.

Lentement, dans la lumière éblouissante du soleil à son zénith, elle regagne le palais. Indifférente aux salutations des domestiques, elle franchit les portiques de pierre polie, traverse la cour où s'élève l'autel* destiné aux sacrifices*, et gagne la salle où son père est en train de travailler, assis sur un divan de bois recouvert de coussins.

Dès qu'il la voit, ses yeux s'éclairent et leur lumière transperce Cassandre comme une flèche empoisonnée.

– Père, maintenant je veux savoir, dit-elle en s'asseyant près de lui.

– Savoir quoi ? demande le roi avec un sourire étonné.

– Savoir combien vous et la reine avez eu d'enfants. De *vrais* enfants. Il est temps de me révéler le secret que vous m'avez toujours caché.

– Quel secret ? Il n'y a pas de secret ! se récrie Priam.

Comme il se défend mal ! S'il n'y a pas de secret, pourquoi ses yeux se sont-ils détournés, pourquoi sa voix est-elle soudain moins ferme ?

Peut-être précisément parce qu'elle adore son père, Cassandre est exaspérée de le voir mentir. D'un bond elle se lève. Tapant du pied, elle se met presque à crier et son regard étincelle :

– Ne me mentez pas, je sais qu'on me cache un secret !

J'ai entendu, il y a longtemps, ma mère parler d'un enfant abandonné ! Cet enfant ne peut être que moi, sinon pourquoi aurais-je toujours l'impression de ne pas être comme mes frères et sœurs ? Par moments, c'est à peine s'ils osent m'adresser la parole ! Et pourquoi ma mère m'a-t-elle si rarement prise dans ses bras ?

Soudain, la voix de la jeune fille se brise. Elle se détourne pour s'enfuir, courir jusque dans sa chambre et y pleurer tout son saoul. Mais la grande main de son père se pose sur son épaule.

– Reviens t'asseoir, lui dit tendrement le roi. Tu as raison, tu es assez grande maintenant pour connaître la vérité. Je vais te dire pourquoi tu te sens différente, je vais t'expliquer pourquoi ta mère ne sait pas toujours te montrer sa tendresse.

Cassandre obéit. Elle s'assoit, les deux mains posées sur les genoux, le cœur battant, prête à entendre le pire.

Dans la même collection

Œdipe le maudit / Marie-Thérèse Davidson

Un Piège pour Iphigénie / Évelyne Brisou-Pellen

Les Cauchemars de Cassandre / Béatrice Nicodème

Les Combats d'Achille / Mano Gentil

Ariane contre le Minotaure / Marie-Odile Hartmann

Le Secret de Phèdre / Valérie Sigward

Orphée l'enchanteur / Guy Jimenes

Rebelle Antigone / Marie-Thérèse Davidson

Hector, le bouclier de Troie / Hector Hugo

Les Brûlures de Didon / Gilles Massardier

Médée la magicienne / Valérie Sigward

Le Bûcher d'Héraclès / Hector Hugo

La Quête d'Isis / Bertrand Solet

Prométhée le révolté / Janine Teisson

Les Larmes de Psyché / Léo Lamarche

Persée et le regard de pierre / Hélène Montardre

Thésée revenu des Enfers / Hector Hugo

Zeus à la conquête de l'Olympe / Hélène Montardre

L'Amère Vengeance de Clytemnestre / Michèle Drévillon

Ulysse, l'aventurier des mers / Hélène Montardre

Romulus et Rémus, fils de Mars / Guy Jimenes

Perséphone, prisonnière des Enfers / Guy Jimenes

Jason et le défi de la Toison d'or / Nadia Porcar

Icare aux ailes d'or / Guy Jimenes

N° éditeur : 10211854 – Dépôt légal : mars 2005
Imprimé en janvier 2015 en Italie
par La Tipografica Varese Srl (21100 Varese, Italie)